Ciencias Naturales

CUARTO GRADO

Ciencias Naturales. Cuarto grado fue desarrollado por la Dirección General de Materiales e Informática Educativa (DGMIE) de la Subsecretaría de Educación Básica, Secretaría de Educación Pública.

Secretaría de Educación Pública
Emilio Chuayffet Chemor

Subsecretaría de Educación Básica
Alba Martínez Olivé

Dirección General de Desarrollo Curricular
Hugo Balbuena Corro

Dirección General Adjunta para la Articulación Curricular de la Educación Básica
María Guadalupe Fuentes Cardona

Dirección General Adjunta de Materiales Educativos
Laura Athié Juárez

Segunda edición, 2011

Coordinación técnico-pedagógica
Dirección de Desarrollo e Innovación de Materiales Educativos, DGMIE/SEP
María Cristina Martínez Mercado, Ana Lilia Romero Vázquez, Alexis González Dulzaides

Autores
Nelly del Pilar Cervera Cobos, Gustavo David Huesca Guillén, Luz María Luna Martínez, Luis Tonatiuh Martínez Aroche, Adolfo Portilla González, Juana Guadalupe Rodríguez Arteaga, Antonio Solís Lugo

Colaboración
Humberto Torres Melchor

Revisión técnico-pedagógica
Óscar Osorio Beristain, Denysse Itzala Linares Reyes, Daniela Aseret Ortiz Martinez

Asesores
Lourdes Amaro Moreno, Leticia María de los Ángeles González Arredondo, Óscar Palacios Ceballos

Coordinación editorial
Dirección Editorial, DGMIE/SEP
Alejandro Portilla de Buen, Pablo Martinez Lozada, Esther Pérez Guzmán

Cuidado editorial
Sergio Campos Peláez

Producción editorial
Martín Aguilar Gallegos

Formación
Magali Gallegos Vázquez

Tercera edición revisada, 2014 (ciclo escolar 2014-2015)

Coordinación técnico-pedagógica
Dirección de Desarrollo e Innovación de Materiales Educativos, DGMIE/SEP
María Elvira Charria Villegas

Revisión técnico-pedagógica
Dirección de Desarrollo e Innovación de Materiales Educativos (DDIME), Dirección General de Desarrollo Curricular (DGDC) y maestros frente al grupo de la Administración Federal de los Servicios Educativos en el Distrito Federal (AFSEDF).

Coordinación editorial
Dirección Editorial, DGMIE/SEP
Patricia Gómez Rivera, Olga Correa Inostroza

Cuidado de la edición
Anel Varela, Agustín Escamilla Viveros

Corrección de estilo y pruebas
Octavio Hernández Rodríguez, Mario Aburto Castellanos

Producción editorial
Martín Aguilar Gallegos

Formación
Edith Galicia de la Rosa

Iconografía
Diana Mayén Pérez

Servicios editoriales (2010)
Petra Ediciones, S.A. de C.V.

Coordinación, dirección de arte, diseño y diagramación
Peggy Espinosa

Producción y cuidado de la edición
Diana Elena Mata Villafuerte

Asesoría científica y asistencia editorial
Arturo Curiel Ballesteros, Eduardo Elías Ortiz Espinosa

Corrección de estilo
Sofía Rodríguez Benítez

Análisis de archivos digitales
Víctor Alain Ivañez

Ilustración
Manuel Marín (pp. 8-9, 16, 17-18, 19, 22; 23, 27-30, 32-34, 47, 55, 57, 59, 70, 141); Sara Arámburo (pp. 14-15, 44, 113, 116); Ianna Andréadis (pp. 24, 47, 59); Diana Mata (p. 26); Jimmar Vázquez (pp. 20, 46, 50, 66, 80, 82, 86, 102, 106, 109, 111, 114, 117, 121, 124, 135-139, 143, 150, 152); Arturo Curiel Ballesteros (pp. 46); STPS (p. 157); Fernando Guillén (pp. 60-61, 65, 66, 67); David A. Hardy (p. 143).

Portada
Diseño de colección: Carlos Palleiro
Ilustración de portada: Margarita Sada

Primera edición, 2010
Segunda edición, 2011
Tercera edición revisada, 2014 (ciclo escolar 2014-2015)

D.R. © Secretaría de Educación Pública, 2011
Argentina 28, Centro
06020, México, D.F.

ISBN: 978-607-514-720-8

Impreso en México
DISTRIBUCIÓN GRATUITA-PROHIBIDA SU VENTA

Agradecimientos
La Secretaría de Educación Pública agradece a los maestros y maestras, a las autoridades educativas de todo el país, a expertos académicos, por colaborar en la revisión de las diferentes versiones de los libros de texto.

La SEP extiende un especial agradecimiento a la Academia Mexicana de la Lengua por su participación en la revisión de la tercera edición revisada, 2014 (ciclo escolar 2014-2015).

La Patria (1962),
Jorge González Camarena.

Esta obra ilustró la portada de los primeros libros de texto. Hoy la reproducimos aquí para mostrarte lo que entonces era una aspiración: que los libros de texto estuvieran entre los legados que la Patria deja a sus hijos.

El libro de texto que tienes en tus manos fue elaborado por la Secretaría de Educación Pública para ayudarte a estudiar y para que leyéndolo conozcas más de las personas y del mundo que te rodea.

Además del libro de texto hay otros materiales diseñados para que los estudies y los comprendas con tu familia, como los Libros del Rincón.

¿Ya viste que en tu escuela hay una biblioteca escolar? Todos esos libros están ahí para que, como un explorador, visites sus páginas y descubras lugares y épocas que quizá no imaginabas. Leer sirve para tomar decisiones, para disfrutar, pero sobre todo sirve para aprender.

Conforme avancen las clases a lo largo del ciclo escolar, tus profesores profundizarán en los temas que se explican en este libro con el apoyo de grabaciones de audio, videos o páginas de internet, y te orientarán día a día para que aprendas por tu cuenta sobre las cosas que más te interesan.

En este libro encontrarás ilustraciones, fotografías y pinturas que acompañan a los textos y que, por sí mismas, son fuentes de información. Al observarlas notarás que hay diferentes formas de crear imágenes. Tal vez te des cuenta de cuál es tu favorita.

Las escuelas de México y los materiales educativos están transformándose. ¡Invita a tus papás a que revisen tus tareas! Platícales lo que haces en la escuela y pídeles que hablen con tus profesores sobre ti. ¿Por qué no pruebas leer con ellos tus libros? Muchos padres de familia y maestros participaron en su creación, trabajando con editores, investigadores y especialistas en las diferentes asignaturas.

Como ves, la experiencia, el trabajo y el conocimiento de muchas personas hicieron posible que este libro llegara a ti. Pero la verdadera vida de estas páginas comienza apenas ahora, contigo. Los libros son los mejores compañeros de viaje que pueden tenerse. ¡Que tengas éxito, explorador!

Conoce tu libro

Aquí se explica cómo los seres humanos forman parte de la naturaleza y por qué es necesario que la conozcan y la respeten. Sobre todo, que el individuo sea consciente de su participación en ella y tome decisiones libres, responsables e informadas.

El libro está organizado en cinco bloques; cada uno contiene información que te servirá como base para llevar a cabo tus actividades. Los temas incluyen varias secciones o apartados:

Actividades
Con su ayuda realizarás investigaciones y proyectos colectivos para desarrollar habilidades científicas que te permitan comprender tu ambiente y sus problemas. Así podrás proponer y participar en acciones que mejoren el trabajo en equipo.

Aprendizajes esperados
Texto que te indica lo que aprenderás en ese tema.

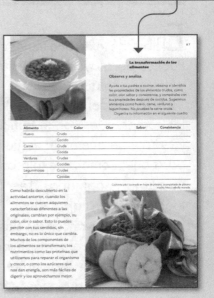

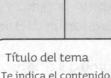

Título del tema
Te indica el contenido de las actividades que se realizan.

Proyecto
Actividad en la que pondrás en práctica las habilidades y conocimientos adquiridos con el desarrollo de los temas.

Conoce tu libro

Al final de cada bloque aparecen una Evaluación y una Autoevaluación. En ellas valorarás qué has aprendido, reflexionarás sobre la utilidad de tu aprendizaje y acerca de los aspectos que necesitas mejorar.

Además, tu libro presenta las siguientes secciones:

Un dato interesante
Te presenta información adicional sobre el tema.

Consulta en…
Te proporciona la dirección de páginas electrónicas y datos de libros de la Biblioteca Escolar para que amplíes tus conocimientos acerca del tema. Te recomendamos navegar en internet siempre en compañía de un adulto.

La ciencia y sus vínculos
Sección que vincula tu aprendizaje en torno a la ciencia con otros campos del conocimiento.

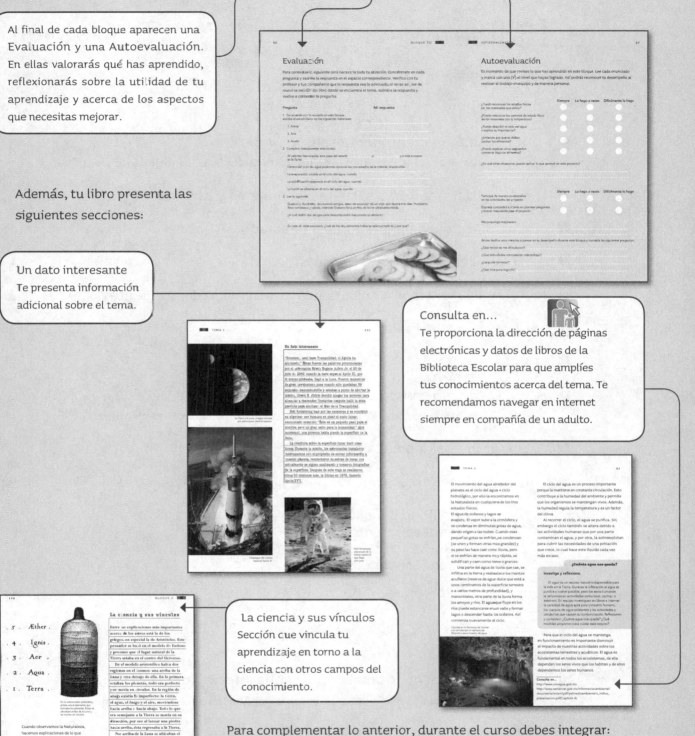

Para complementar lo anterior, durante el curso debes integrar:

Portafolio de ciencias. Carpeta para conservar los trabajos que realizarás a lo largo del bloque, de tal forma que te sirvan como material de apoyo para el diseño y presentación de tus proyectos.

Mi glosario de ciencias. Rotula así un apartado de tu cuaderno donde anotarás los significados y las palabras que desconozcas, te resulten interesantes o sean importantes para definir un tema.

Índice

¿Cómo mantener la salud?

ÁMBITOS:
- EL AMBIENTE Y LA SALUD
- LA TECNOLOGÍA
- EL CONOCIMIENTO CIENTÍFICO

Durante el desarrollo de este tema, reconocerás cuáles son los caracteres sexuales de mujeres y hombres, y su relación con la reproducción.

Asimismo, comprenderás que las diferencias físicas e intelectuales entre uno y otro sexo nos complementan con el propósito de promover el respeto y la igualdad de oportunidades (derechos y obligaciones).

TEMA 1

Los caracteres sexuales de mujeres y hombres

En tu curso de Ciencias Naturales de tercer grado aprendiste que los seres vivos respiran y se alimentan.
Otra característica común en todos los seres vivos es la reproducción.

En el ser humano, las hormonas son las responsables de a aparición de los caracteres sexuales secundarios. Éstas viajan a través del torrente sanguíneo hacia los tejidos, los órganos y el aparato sexual.

¿Qué sé de la reproducción?

Explica.

En parejas, contesten las siguientes preguntas:
¿Qué es la reproducción? _____
_____
_____

¿Por qué la reproducción es una función importante? _____
_____
_____
_____
_____

Los caracteres sexuales y su relación con la reproducción

El cuerpo humano funciona de manera integrada; los diferentes tejidos y órganos que lo componen se relacionan entre sí para formar aparatos y sistemas que dependen unos de otros para su funcionamiento.

En este tema estudiaremos el cuerpo humano considerando la relación cercana que guardan sus aparatos y sistemas.

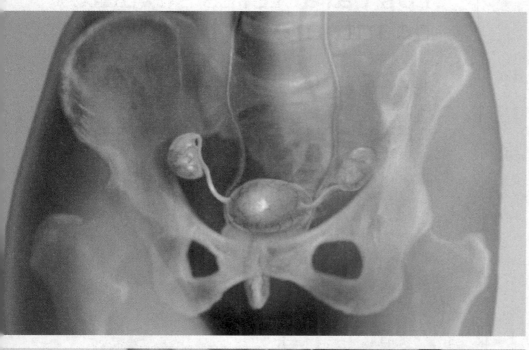

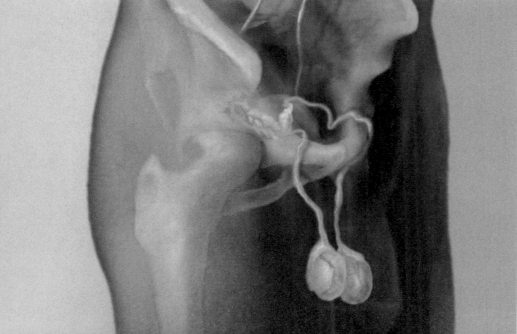

Cada sexo, el masculino y el femenino, posee órganos sexuales, internos y externos, que intervienen en la reproducción.

Mi cuerpo por fuera

Identifica y conoce.

En el transcurso de la historia, los seres humanos hemos elaborado representaciones del cuerpo humano. Por ejemplo, en el periodo posclásico (900-1521 d. C.), la cultura huasteca realizó muchas hermosas figuras de barro y de piedra con forma humana, como las que aquí se muestran.

En equipos, observen las siguientes imágenes y contesten:

¿Qué diferencias físicas hay entre el cuerpo del hombre y el de la mujer? _____
_____
_____

¿Cuáles órganos o partes del cuerpo son iguales y cuáles diferentes?
_____
_____
_____
_____

Reflexionen y compartan sus respuestas.

El aparato sexual

Este aparato lleva a cabo la reproducción: la capacidad que tienen los seres vivos para engendrar nuevos individuos. Gracias a este proceso se preservan las especies.

En la reproducción humana intervienen un hombre y una mujer; cada sexo tiene órganos específicos para realizar esta función.

Mujer hincada, desnuda, con argollas en la nariz, Museo Nacional de Antropología.

140 cm

El adolescente de Tamuín, Museo Nacional de Antropología, 111 × 39 cm.

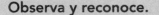

¿En qué somos diferentes?

Observa y reconoce.

1. Observa las imágenes del aparato sexual del niño y de la niña, y escribe en tu cuaderno en qué son diferentes.

2. Lee los siguientes párrafos, busca el significado de las palabras que no conozcas y anótalas en tu glosario de ciencias.

Los caracteres sexuales son las diferencias existentes entre el cuerpo de la mujer y del hombre.
    Se denomina caracteres sexuales primarios al conjunto de órganos internos y externos que forman parte de nuestro aparato sexual; los tenemos desde que nacemos y nos permiten saber si somos niños o niñas.
    Los caracteres sexuales secundarios están constituidos por las formas físicas externas que hacen diferentes a mujeres y hombres.
    Una vez que los caracteres sexuales se desarrollan, te conviertes en una persona sexualmente madura.

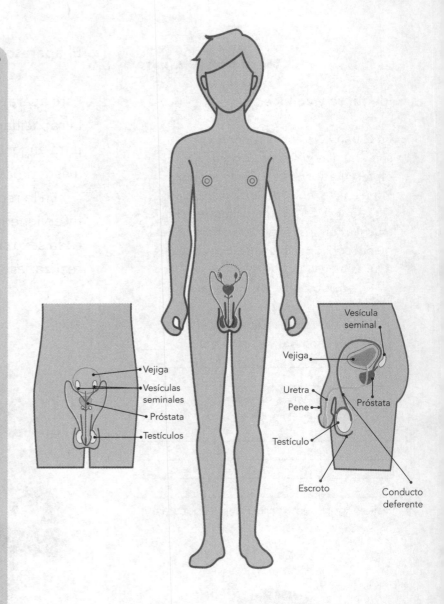

Observa que las diferencias físicas entre la mujer y el hombre son evidentes. En el cuerpo del hombre, el aparato sexual está conformado por los testículos, los conductos deferentes, la próstata, las vesículas seminales y el pene. A partir de la pubertad, en los testículos se producen los espermatozoides, las células sexuales masculinas.

En la mujer, el aparato sexual está conformado por los ovarios, las tubas uterinas, el útero o matriz (órgano hueco parecido a una bolsa), la vagina (que comunica la vulva con el útero) y la vulva, integrada por el clítoris, los labios menores y los labios mayores.

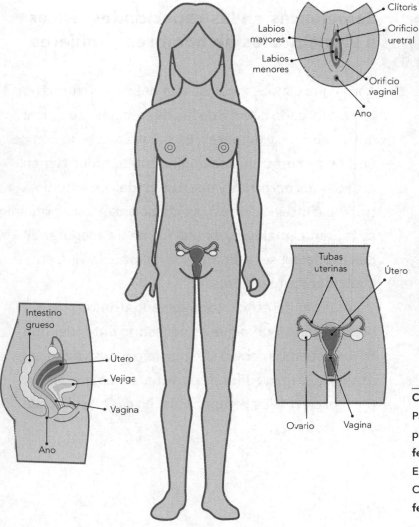

En los ovarios se producen las células sexuales femeninas llamadas óvulos, que son más grandes que los espermatozoides. Sin embargo, ninguno de ellos puede verse a simple vista.

Al producirse las células sexuales femeninas y masculinas, el cuerpo humano está sexualmente maduro y en condición de procrear. En la mujer se inicia la menstruación y en el hombre la salida de un líquido espeso, el semen, que contiene los espermatozoides.

¿Qué aprendí sobre el aparato sexual?

Reflexiona, reconoce e identifica.

En equipos, respondan en su cuaderno las preguntas:

¿Qué es la reproducción y por qué se considera que es una función importante?

¿Qué órganos del aparato sexual intervienen en la reproducción? Contrasten estas respuestas con las que dieron en la actividad de la página 11 y reflexionen: ¿las respuestas fueron semejantes o diferentes?

Consulta en...

Para profundizar el contenido, entra a <http://basica. primariatic.sep.gob.mx/> y en el buscador anota: **fecundación video**.

En esta misma página, localiza la sección: sitios-Ciencias Naturales, encuentra el portal Eureka y anota **fecundación** en el buscador.

En caso de unirse un espermatozoide con un óvulo puede desarrollarse un nuevo ser, ya que ambos contienen la información genética necesaria para ello.

Un dato interesante

La primera vez que alguien pudo ver los espermatozoides fue en 1679. Anton van Leeuwenhoek, inventor del primer microscopio, fue quien los observó con la ayuda de este aparato.

Semejanzas en las capacidades físicas e intelectuales de hombres y mujeres

Ahora que conoces más acerca del cuerpo humano, te habrás dado cuenta de las diferencias biológicas entre mujeres y hombres. Esto lleva a la reflexión de que sin importar que sean diferentes, todos tienen los mismos derechos y oportunidades de estudio, trabajo e integración en la vida social. A este principio se le llama igualdad y es una forma de asegurar el desarrollo del ser humano y la calidad de vida en cualquier parte del país.

Al tener derechos, también adquirimos obligaciones, por lo que es necesario entender que todos debemos cooperar y participar activamente; apoyarnos en las diferentes situaciones que se presenten con los compañeros, en casa, en la calle y en otros lugares.

¿Qué es equidad?

Selecciona información y reflexiona.

Busca en un diccionario el significado de la palabra *equidad*.

En equipos, expliquen con sus palabras la siguiente frase: "Se dice que hay equidad de género cuando hay igualdad de oportunidades para la mujer y el hombre."

Consulta tu libro de *Formación Cívica y Ética* y, con ayuda de tu profesor, busca el tema que trata sobre la igualdad de oportunidades. Haz un resumen en tu cuaderno, y redacta una reflexión acerca de por qué es importante la equidad de género. También elabora una lista de las situaciones de tu vida diaria en donde reconozcas la equidad de género; puedes apoyarte en las imágenes de esta página.

Después, todos juntos reflexionen nuevamente y respondan: ¿cómo resolverían la falta de igualdad entre hombres y mujeres?

Durante el desarrollo de este tema, aprenderás algunas funciones del cuerpo humano y su relación con la salud.

Asimismo, explicarás la importancia de fomentar y poner en práctica hábitos que promueven tu salud.

▪▪ TEMA 2

Acciones para favorecer la salud

Funciones del cuerpo humano y su relación con el mantenimiento de la salud

El sistema nervioso

El sistema nervioso está compuesto por órganos que reciben información del medio que nos rodea, la procesan para dar una respuesta y la transmiten a nuestros aparatos y sistemas. Así podemos ver, oír, olfatear, saborear la comida o sentir frío, calor o dolor. Y como respuesta podemos movernos, alejarnos del calor, del frío excesivo o del peligro. Además, nos permite pensar y reflexionar sobre nuestros actos.

El sistema nervioso también recibe información del interior de nuestro cuerpo; por esa razón, sentimos apetito, sed o dolor y como respuesta comemos, bebemos o alejamos a nuestro cuerpo del estímulo doloroso. Además, este sistema controla muchas funciones del organismo sin que tengamos que pensar en ellas; por ejemplo, el latido del corazón y la respiración.

Mi cuerpo como un todo

Reconoce e identifica.

Responde en tu cuaderno la siguiente pregunta, con la ayuda de tus compañeros:
¿Qué importancia tiene el sistema nervioso y cómo se relaciona con tu cuerpo?

Nuestro sistema nervioso se mantiene en relación y comunicación continua con todos los órganos. Como los aparatos y sistemas están comunicados entre sí, las enfermedades que afectan a uno de ellos algunas veces tienen

efectos en otros. De la estabilidad y el buen funcionamiento del sistema nervioso depende que las demás funciones se lleven a cabo de manera adecuada.

Los órganos que forman parte del sistema nervioso se pueden dañar por accidentes, enfermedades o el consumo de sustancias tóxicas y drogas. Para cuidarlos es necesario realizar acciones como las siguientes:

- Dormir ocho horas diarias en promedio.
- Incluir en la dieta alimentos ricos en vitaminas del complejo B: hígado, pescado, cereales y leguminosas.
- Llevar una dieta correcta y equilibrada.
- Hacer ejercicio físico.

- Evitar golpes en la cabeza; pueden ocasionar daños severos en el sistema nervioso e incluso la muerte.
- Evitar emociones negativas; establecer relaciones cordiales y saludables con las personas, y tratar de resolver los problemas mediante el diálogo y la tolerancia.
- Evitar el consumo de tabaco, café y alcohol.
- Evitar exponerse al humo del tabaco, pues causa el mismo daño que fumar.

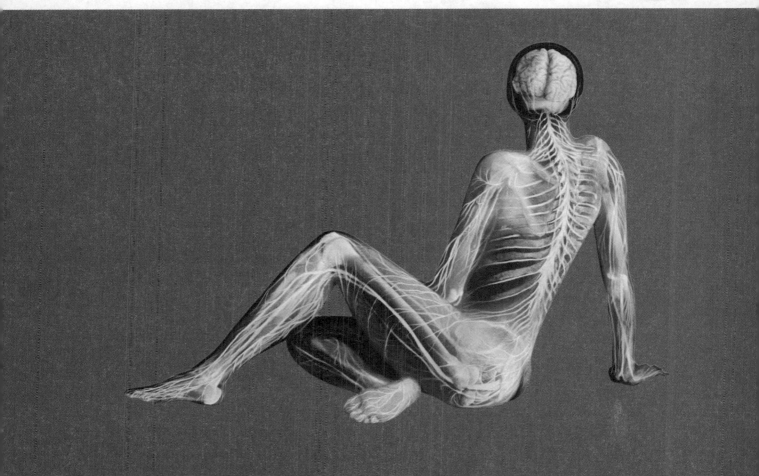

El aparato locomotor

Este aparato lo forman músculos, huesos y articulaciones. Para conocer algunas de sus características toca los huesos de tu codo, ¿son duros o suaves? Esta propiedad de los huesos da soporte y protección a los órganos importantes del cuerpo.

El aparato locomotor también permite el movimiento de tu cuerpo. Está integrado por el sistema muscular (constituido por músculos) y el sistema óseo (formado por los huesos, ligamentos, cartílagos y articulaciones), y a ambos los coordina el sistema nervioso (integrado por una red de tejidos y terminaciones nerviosas).

¿Qué son los movimientos voluntarios e involuntarios?

Investiga, identifica y reflexiona.

Para saber acerca de los movimientos voluntarios e involuntarios que lleva a cabo tu cuerpo, realiza la siguiente actividad con la ayuda y guía de tu profesor. Selecciona diversas fuentes de información e investiga qué movimientos del cuerpo son voluntarios y cuáles involuntarios. Con la información que obtuviste haz una tabla en tu cuaderno.

Ahora contesta las siguientes preguntas y reflexiona sobre lo que aprendiste:

¿Cómo se relaciona el aparato locomotor con todo tu cuerpo?

¿Qué importancia tiene el aparato locomotor?

Hueso

Fibra muscular

Músculo

Médula ósea
(interior del hueso)

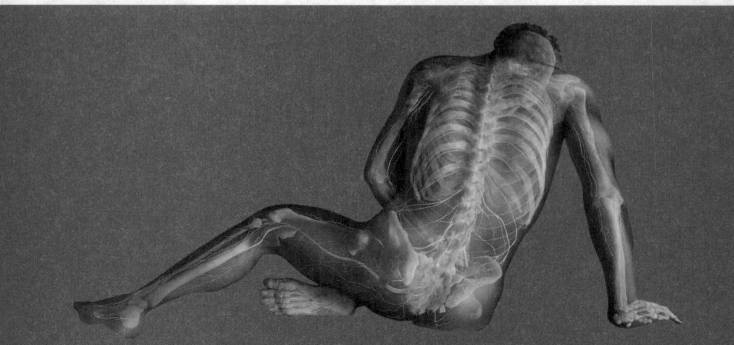

Los huesos, además de dar protección y soporte, también están unidos con los músculos para dar forma al cuerpo. ¿Sabes qué órganos protegen? Toca tu cabeza y tus costillas; los huesos que percibes protegen órganos importantes como el cerebro, el corazón y los pulmones.

Además, los huesos son una gran reserva de sustancias, como el calcio y el fósforo, que son muy importantes para la función reproductiva de la mujer durante el embarazo y la lactancia.

Para evitar que tengas lesiones en tu aparato locomotor y pierdas movilidad, sigue estas medidas:

- Mantén una posición correcta al sentarte, estar de pie, caminar o cargar una mochila pesada.
- Practica deportes.
- Aliméntate con una dieta balanceada.
- Consume alimentos ricos en vitamina D, como los productos lácteos y el pescado, ya que esta vitamina ayuda a fijar el calcio a tus huesos y dientes, y los fortalece.
- Evita acciones de riesgo para prevenir fracturas y otros daños en tu columna vertebral.

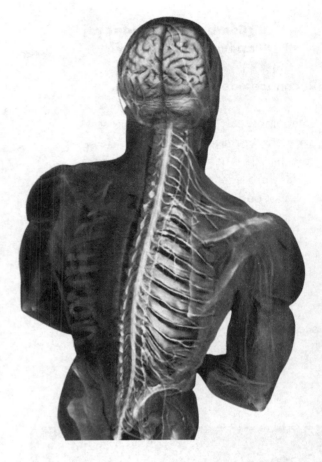

¿Qué sostiene y protege a mi cuerpo?

Reconoce, identifica y reflexiona.

¿Qué sucedería si no tuvieras huesos?

_____

_____

¿Cómo serían tus movimientos?

_____

_____

Ahora, toca los músculos de tu pierna. ¿Son duros o suaves?

_____

Toca tu rodilla, mueve tu pierna e identifica la articulación (que es el punto donde los huesos se unen).

Los músculos, los huesos y las articulaciones tienen la función de permitir el movimiento de las distintas partes del cuerpo.

¿Cómo puedo cuidar mi aparato locomotor?

Reconoce, identifica y explica.

En equipos, con la guía de su profesor, discutan y encierren las imágenes de la derecha que muestran las medidas para cuidar y proteger el aparato locomotor.

Investiguen otras acciones que pueden realizar para mantenerlo sano. Reflexionen y contesten en su cuaderno: ¿qué acciones les corresponde hacer para cuidar su salud cuando cargan su mochila u otros objetos que pesen más del 10% de su peso corporal?

¿Por qué son importantes todas estas acciones? Recuerda que una mala postura en tus actividades daña a tu salud.

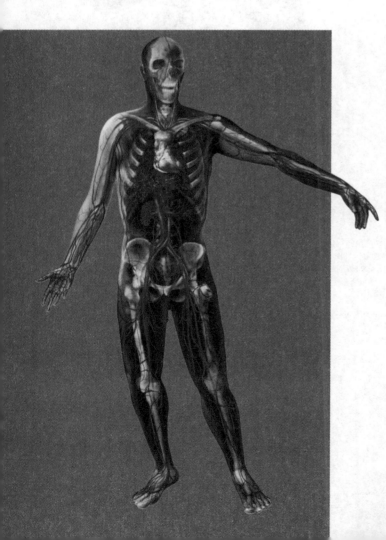

El aparato circulatorio

El aparato circulatorio está formado por: corazón, sangre, arterias, vasos capilares y venas. Su función es llevar la sangre a todo el cuerpo. A esta acción se le conoce como circulación sanguínea.

La sangre, al ser impulsada por el corazón, circula por el cuerpo a través de arterias y venas. La sangre que fluye por las arterias lleva el oxígeno y los nutrimentos a todo el cuerpo.

La sangre de las venas transporta el dióxido de carbono y los desechos del cuerpo para su eliminación.

Al transportar la sangre por todo el cuerpo, el aparato circulatorio se relaciona con todos los sistemas y aparatos; aunque de manera directa se lo hace con el respiratorio (al llevar en la sangre el oxígeno y el dióxido de carbono) y con el digestivo (al trasladar los nutrimentos).

¿Cómo puedo cuidar mi aparato circulatorio?

Investiga, reconoce y reflexiona.

En la siguiente lista hay algunas medidas que son útiles para cuidar tu aparato circulatorio. Investígalas y reflexiona acerca de su importancia y por qué debes llevarlas a cabo. Anota los resultados en tu cuaderno.

Medidas para cuidar el aparato circulatorio:

- Alimentarse correctamente para evitar el sobrepeso y la obesidad.
- Usar ropa holgada.
- Hacer deporte y ejercicio físico.
- Comer poca sal, azúcar y grasa.
- Evitar fumar e ingerir bebidas alcohólicas.
- Beber agua simple potable.
- Vivir en un entorno saludable.

Además del agua simple potable puedes incluir, con moderación, varios tipos de bebidas. En la ilustración puedes ver las proporciones y recomendaciones diarias de la Jarra del Buen Beber.

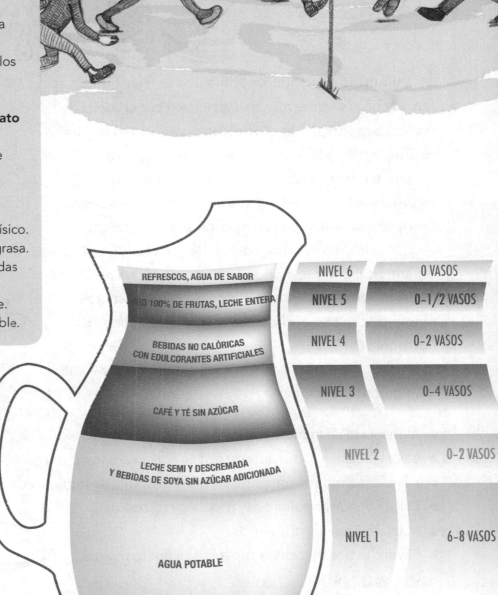

REFRESCOS, AGUA DE SABOR	NIVEL 6	0 VASOS
JUGO 100% DE FRUTAS, LECHE ENTERA	NIVEL 5	0-1/2 VASOS
BEBIDAS NO CALÓRICAS CON EDULCORANTES ARTIFICIALES	NIVEL 4	0-2 VASOS
CAFÉ Y TÉ SIN AZÚCAR	NIVEL 3	0-4 VASOS
LECHE SEMI Y DESCREMADA Y BEBIDAS DE SOYA SIN AZÚCAR ADICIONADA	NIVEL 2	0-2 VASOS
AGUA POTABLE	NIVEL 1	6-8 VASOS

El aparato digestivo

El aparato digestivo está formado por boca, faringe, laringe, esófago, estómago, intestinos delgado y grueso, recto y ano. El hígado, el páncreas y la vesícula biliar son órganos que secretan jugos digestivos para digerir los alimentos.

Durante la digestión los alimentos se transforman en nutrimentos simples que se distribuyen por el cuerpo a través de la sangre. De ellos obtenemos la energía para realizar actividades como jugar, correr y estudiar.

Por lo tanto, la función del aparato digestivo es procesar los alimentos que consumimos; es decir, prepararlos para que el cuerpo los absorba y asimile.

Como los nutrimentos deben llegar a los distintos órganos del cuerpo, este aparato se relaciona con todos los otros aparatos y sistemas, pero de manera más estrecha con el circulatorio, que transporta los nutrimentos.

Para cuidar tu aparato digestivo debes llevar a cabo las siguientes acciones:

- Aliméntate de manera correcta y en horarios regulares.
- Lava y desinfecta verduras y frutas antes de consumirlas.
- Lávate las manos antes de comer y después de ir al baño.
- Evita consumir golosinas, frituras y refrescos.
- Mastica bien los alimentos.
- Lávate la boca y cepilla tus dientes por lo menos tres veces al día.
- No bebas agua de charcos o de tomas para riego; observa las recomendaciones de la Jarra del Buen Beber.

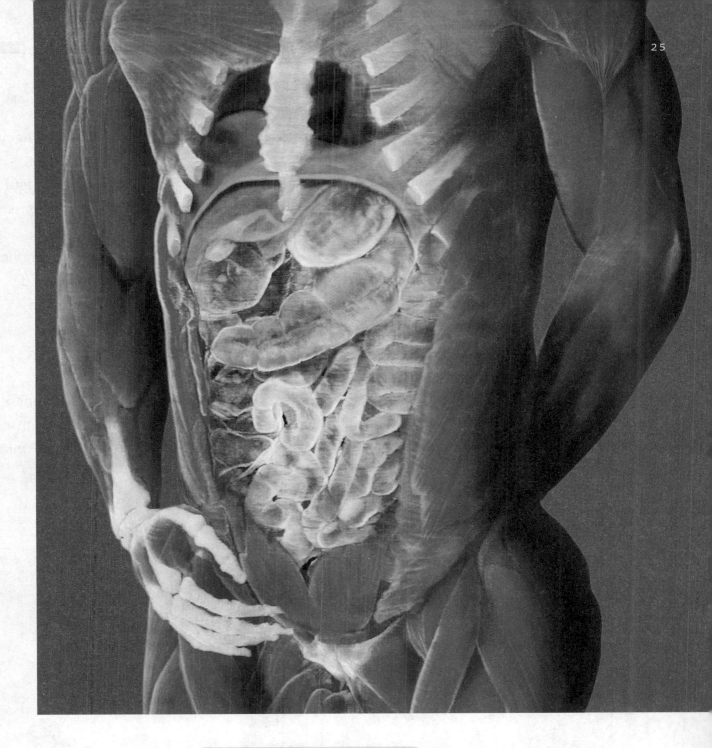

¿Cómo puedo cuidar mi aparato digestivo?

Investiga, reconoce y comunica.

En equipos, elaboren en una cartulina un dibujo de cada una de las medidas para cuidar el aparato digestivo. Péguenla en el periódico mural de la escuela. En su cuaderno escriban por qué es importante cada una de ellas.

El aparato respiratorio

El aparato respiratorio consta de nariz, laringe, tráquea, pulmones, bronquios y alveolos. Su función es abastecer de oxígeno al cuerpo y desechar el dióxido de carbono.

El aire entra por la nariz a nuestro organismo; por ella se filtra, calienta y humedece. De ahí pasa por la laringe para llegar a la tráquea y los pulmones.

En los alveolos, unos diminutos sacos que se encuentran en los pulmones, el oxígeno pasa a la sangre. También en los alveolos se deposita el dióxido de carbono para ser expulsado del cuerpo.

El oxígeno es llevado por los glóbulos rojos (unos componentes de la sangre) hacia el corazón y luego se distribuye a todo el cuerpo; por eso el aparato respiratorio está relacionado de manera directa con el sistema circulatorio.

La acción de jalar aire hacia los pulmones se llama inspiración o inhalación, y a la de expulsarlo se le conoce como espiración o exhalación. Estos movimientos son involuntarios y automáticos, aunque en cierta medida tienes control sobre ellos. Puedes detener la respiración, pero cuando al cuerpo le falte oxígeno, inmediatamente sentirás el impulso y la necesidad de respirar.

Consulta en...

Pregunta a tu profesor por este libro, se encuentra en la Biblioteca Escolar: Lucy Cruz Wilson, *La respiración* (México, SEP-ADN Editores, 2003). Para profundizar en el contenido, entra a <http://basica.primariatic.sep.gob.mx/>.

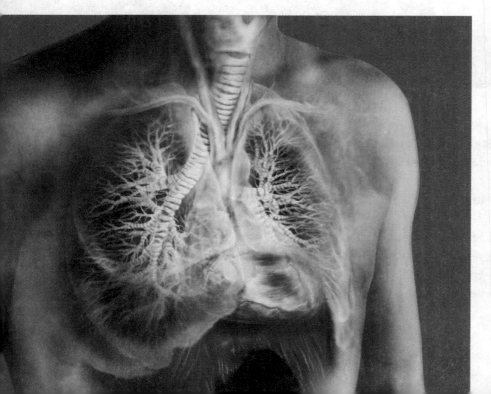

Glóbulos rojos.

¿Qué partes se relacionan con el sistema circulatorio?

¿Cómo puedo cuidar mi aparato respiratorio?

Investiga, reconoce y reflexiona.

En el esquema de la derecha faltan otras acciones que pueden ser útiles para el cuidado de tu aparato respiratorio. Investiga cuáles son y escríbelas en los espacios.

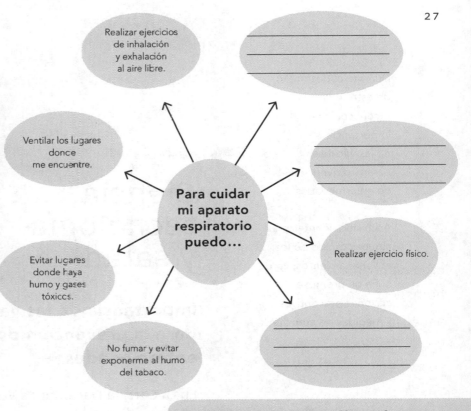

Realizar ejercicios de inhalación y exhalación al aire libre.

Ventilar los lugares donde me encuentre.

Para cuidar mi aparato respiratorio puedo…

Evitar lugares donde haya humo y gases tóxicos.

Realizar ejercicio físico.

No fumar y evitar exponerme al humo del tabaco.

Recuerda que cuidar el ambiente es una manera de proteger tu aparato respiratorio.

Las funciones que realiza mi cuerpo

Reflexiona, analiza e integra.

Con la guía de tu profesor, reflexiona, analiza y completa el siguiente cuadro de funciones del cuerpo humano con la información faltante. Para realizarlo, piensa con detenimiento cómo se relacionan los diferentes sistemas y aparatos del cuerpo para llevar a cabo sus funciones. Por ejemplo, los nutrimentos obtenidos de los alimentos circulan a través de la sangre, por lo tanto, el aparato digestivo y el sistema circulatorio se relacionan de manera directa.

Sistema o aparato	Su función consiste en	Sistemas o aparatos con los que se relaciona de manera directa
Nervioso	Recibir estímulos, transformarlos y llevar información al cerebro.	
	Realizar todos los movimientos de nuestro cuerpo.	
	Distribuir la sangre por el cuerpo.	
	Transformar los alimentos en nutrimentos.	
	Abastecer de oxígeno al cuerpo y desechar el dióxido de carbono.	
	Generar un ser vivo a partir de otro.	

Durante el desarrollo de este tema, reconocerás la importancia de las vacunas para la prevención de enfermedades.

Asimismo, identificarás algunas causas de los envenenamientos, con el fin de promover acciones preventivas y medidas de atención.

TEMA 3

Ciencia, tecnología y salud

Importancia de las vacunas para la prevención de enfermedades

En tu Cartilla Nacional de Vacunación aparece el historial de las vacunas que te han aplicado. ¿Sabes cuáles son?¿Sabes desde cuándo se vacuna la gente?

Desde los inicios de nuestra historia, los seres humanos han buscado la manera de evitar enfermedades. Con el desarrollo de la ciencia se han realizado numerosas investigaciones en este sentido. Uno de los descubrimientos más importantes son las vacunas.

La ciencia y sus vínculos

En 1796, en Europa, hubo una gran epidemia de viruela. El doctor Edward Jenner observó que quienes ordeñaban vacas se contagiaban de una viruela similar a la de los seres humanos, menos dañina y que no causaba la muerte, además de que se volvían inmunes a la viruela humana.

Con una aguja, Jenner tomó pus de una herida abierta de una granjera enferma de viruela de vaca; luego, con esa aguja raspó la piel del hombro de un niño de ocho años. El pequeño sanó y 48 días después Jenner lo expuso a enfermos de viruela humana. El niño no enfermó. Así se descubrieron las vacunas; nombre que derivó de la palabra "vaca", ya que fue la primera con que Jenner experimentó.

Hoy existe una gran variedad de vacunas para enfermedades como la tuberculosis y la poliomielitis, o vacunas combinadas como la pentavalente que te protege contra la difteria, tosferina, tétanos, influenza tipo B y hepatitis B; algunas se aplican a los niños en edad temprana. Hay vacunas que ya no se aplican, como la viruela, debido a que esta enfermedad se erradicó de México en 1977.

Edward Jenner aplicando la primera vacuna de viruela.

Cuando te vacunan, tu organismo reacciona y forma defensas contra una enfermedad, por lo que si entras en contacto con quien la tenga, será más difícil que te contagies; en caso de contraerla, los síntomas serán menores.

Las vacunas te ayudan a evitar enfermedades como la tuberculosis, las paperas, el sarampión o la varicela. De modo que cuando sea necesario vacunarte debes dejarte inyectar, aunque te produzca dolor. El poco dolor que quizá sientas, tendrá como recompensa evitar enfermedades.

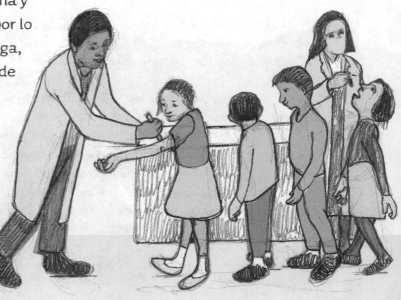

Las enfermedades, como la varicela o la viruela, se propagan cuando el enfermo entra en contacto con otras personas. Cuando una gran cantidad de personas se contagian se producen las epidemias. Esto ha sucedido en varias ocasiones a lo largo de la historia, con efectos muy graves. Por ejemplo, en 1520 los españoles trajeron a México el virus de la viruela y contagiaron a los nativos, lo que ocasionó una gran mortandad.

En la Cartilla Nacional de Salud se registran las vacunas que cada niño ha recibido.

La viruela en la Nueva España

Analiza y reflexiona.

Pide a tu profesor que lea en voz alta el siguiente fragmento del libro *Historia general de las cosas de la Nueva España*.
Escucha en silencio y pon mucha atención.

"Antes que los españoles que están en Tlaxcala viniesen a conquistar a México, dio una grande pestilencia de viruelas a todos los indios, en el mes que llamaban *tepeilhuitl*, que es al fin de septiembre. Desta pestilencia murieron muchos indios; tenían todo el cuerpo y toda la cara y todos los miembros tan llenos y lastimados de viruelas que no se podían bullir ni menear de un lugar, ni volver de un lado a otro, y si alguno los meneaba daban voces. Esta pestilencia mató gentes sin número. Muchas murieron de hambre porque no había quien pudiese hacer comidas; los que escaparon desta pestilencia quedaron con las caras ahoyadas y algunos ojos quebrados."

Fray Bernardino de Sahagún, *Historia general de las cosas de la Nueva España*, libro VIII, capítulo 7, (México, Porrúa, 1956).

Consulta el bloque III de tu libro de *Historia* y subraya las ideas que tienen relación con lo que acabas de leer. Luego, entre todo el grupo y con la guía de tu profesor, respondan en su cuaderno las siguientes preguntas. Para hacerlo, revisen la información que subrayaron en su libro.

- ¿Quiénes eran los tlaxcaltecas?
- ¿Por qué murieron, según la historia que cuenta fray Bernardino de Sahagún?
- ¿Por qué no se podía evitar en aquel tiempo que la gente muriera de esa manera?
- En la actualidad, ¿cómo se puede evitar que la gente muera de esa forma?
- ¿Para qué se hacen las campañas de vacunación?
- ¿Cómo se llama el documento donde se registran y controlan las vacunas que recibe una persona?
- ¿Cuántas veces te han vacunado?
- ¿Contra qué te vacunaron?

Para finalizar esta actividad, con los conocimientos que aprendiste en este bloque, elabora carteles para hacer un periódico mural. Luego guarda estos trabajos, ya que te servirán para integrar tu portafolio.

Consulta en...

Para profundizar en el contenido, entra a <http://basica.primariatic. sep.gob.mx> y en el buscador anota: **vacunas**.

Pregunta a tu profesor por el libro que se encuentra en la Biblioteca Escolar:

Francisco Flandes, *Tú y las vacunas*, (México, SEP-Santillana, 2003).

Fragmento del *Códice Florentino*, donde se representan enfermos de viruela.

Envenenamientos, acciones preventivas y medidas de atención

Además de las enfermedades, a nuestro alrededor puede haber agentes nocivos que ocasionen padecimientos, lesiones o alteraciones de las funciones del organismo. Un agente nocivo es todo aquello que puede afectar nuestro organismo y causarnos daño.

En nuestro entorno, ya sea en la casa, en la escuela o en la calle, podemos encontrar agentes nocivos; por ejemplo, el exceso de ruido o de vibraciones, la mala iluminación, la falta de ventilación y el exceso de calor o de frío.

También se consideran agentes nocivos los virus, las bacterias, susutancias tóxicas y otros microorganismos que, al entrar a nuestro cuerpo, pueden producir daño.

Prevención de accidentes provocados por sustancias tóxicas

Las sustancias tóxicas son compuestos venenosos que causan daño al organismo y que existen en forma de polvos, gases y líquidos. El ser humano utiliza productos para varios propósitos que contienen sustancias tóxicas, por ejemplo, para el control de plagas domésticas (contra ratas, cucarachas u hormigas), para el control

Los agentes nocivos, como sustancias tóxicas, microbios o ratas, pueden ocasionar enfermedades, lesiones o alteraciones en el organismo e incluso la muerte.

de plagas en los cultivos (eliminación de pulgones, escarabajos, hongos y cochinillas), para la limpieza y el mantenimiento de las casas (detergentes, desinfectantes, pinturas o solventes), y como combustibles (gasolina, petróleo o gas LP), entre otros.

Las sustancias tóxicas son peligrosas porque pueden dañar nuestra salud, la de los animales, las plantas y el ambiente, si no se usan de manera segura. Pueden penetrar en el organismo por tres vías: respiratoria (se inhalan por la nariz), oral (se ingieren por la boca) y por vía dérmica (a través de la piel).

Investiga con tus familiares y compañeros qué otras sustancias tóxicas hay en los productos que se usan en tu casa, escuela y lugares que acostumbras visitar.

Las siguientes acciones ayudan a evitar que dañes tu salud con las sustancias tóxicas:

- Mantener las sustancias perfectamente cerradas y guardadas en sus envases originales.
- Identificar las sustancias colocando una etiqueta con el nombre del producto.
- Separar los productos que sean inflamables y protegerlos del sol.

Un ambiente libre de agentes nocivos promueve la salud.

Consulta en...

Para profundizar en el contenido entra a <http://basica.primariatic.sep.gob.mx/> y en el buscador anota: **adicciones**.

Los agentes nocivos y la prevención de accidentes

Analiza, reflexiona y asocia.

Las sustancias tóxicas son peligrosas porque dañan tu salud. Es importante que procures promover un ambiente libre de agentes nocivos.

1. Observa las imágenes y anota en tu cuaderno la medida preventiva que debe considerarse en cada caso para evitar daños a la salud.

2. Completa las oraciones con las palabras colocadas en la parte inferior de cada una de ellas.

Mi mamá guarda el _____ en un _____ para que mi hermano no lo alcance, porque es _____ .

anaquel   detergente   irritante

Los fuegos artificiales contienen _____ por lo que deben estar lejos del _____ porque son _____ .

fuego   explosivos   pólvora

Al utilizar productos de limpieza como la sosa o el _____ es necesario usar _____ porque causan _____ en la piel.

amoniaco   quemaduras   guantes

3. Busca en la sopa de letras las siguientes palabras relacionadas con los agentes nocivos.

TÓXICAS	ILUMINACIÓN	POLVO	HONGOS
RUIDO	VENTILACIÓN	VIRUS	
VIBRACIÓN	CALOR	BACTERIAS	

```
A O L L D R G I L U M I N A C I O N S D
R U E D L O I H B N M P O U H G F L E L
A C A E A E G L J I T P C O E C C Q A D
R A O S V I R U S D E O O S A L O Ñ C N
U U L T U X N A N G T C L L O V E I S S
S X I B N F T T L I O C X V V U A L S O
R V E D W E R Y U I B O P Ñ O O H G A D
B N T E O V G A S E S M H S E S S O C I
G O R A S D F G H H J K A Ñ B X C V I U
T I E V B N M Q W E R I Y A I O P S X Q
Y C D C A L O R R E R L C X J U E E O I
U A N M N B V C X E Z T S F G N L Ñ T L
I L H P O I U Y T R E W S Q O Ñ L K J H
J I U B A A R C R R B A N I H J G F J K
N T T T R E A Y I I O U C O L U P D F V
V N G F X B V A B B O A N K O F R I O X
D E N X D E S S D V R U Y I O P V D F B
R V J D M I C R O B I O S U I O P L R E
T V T C A S V E I N G R H O N G O S R V
B G A V B N M V E D C R F V Y H N A E I
```

4. Analiza de qué manera pueden afectarte los elementos que encontraste en la sopa de letras, ya sea por su presencia, ausencia o exceso. ¿Qué órganos se afectan?

Información

Color: verde o rojo.

Figura geométrica: cuadrado o rectángulo.

Prevención

Color: amarillo.

Figura geométrica: triángulo.

Prohibición

Color: rojo.

Figura geométrica: círculo con una diagonal.

Obligación

Color: azul.

Figura geométrica: círculo.

Las señales de seguridad informan sobre los riesgos y las acciones que debemos realizar para evitar que nos lastimemos o que lastimemos a otras personas.

PROYECTO

La ciencia y la cultura de la prevención de accidentes

Durante el desarrollo de este proyecto llevarás a cabo actividades y harás propuestas para prevenir y proteger tu organismo de las sustancias tóxicas.

La prevención consiste, en este caso, en llevar a cabo acciones para evitar el uso o manejo indebido de productos venenosos o tóxicos y, en caso de un accidente, conocer la sustancia tóxica y la medida de atención necesaria.

La protección se basa en conocer las medidas para prevenir intoxicaciones y desechar de manera adecuada los residuos de las sustancias peligrosas y venenosas. Por ejemplo, usar mascarillas y guantes aislantes, y evitar el contacto directo con alguna sustancia tóxica, entre otras.

Planeación

Tu cuerpo es único e insustituible, por eso es necesario que lleves a cabo algunas acciones para cuidarlo. En casa, los adultos te habrán enseñado algunas medidas para protegerlo. A continuación te invitamos a investigar de qué otras maneras puedes prevenir enfermedades y daños causados por intoxicaciones con sustancias tóxicas y peligrosas.

Formen equipos y organicen sus ideas para planificar qué van a investigar. Para eso les sugerimos que respondan las siguientes preguntas.

Planificación de actividades

Nombre del proyecto:
¿Qué problema de salud me gustaría investigar?
¿Para qué lo voy a investigar?
¿Qué resultados pienso obtener?
¿Cómo voy a realizar mi proyecto?
¿Qué materiales necesito y cómo los voy a conseguir?
¿Cuándo iniciaré mi proyecto?
¿En cuánto tiempo lo voy a desarrollar?
¿En dónde lo voy a llevar a cabo?
¿Quiénes serán los responsables de cada actividad?
¿Dónde voy a anotar y a exponer los resultados?

Desarrollo

Ahora se proporciona una idea para esta etapa del proyecto; ustedes pueden sugerir otras. Antes de realizarlas, analicen con su maestro cada propuesta; por ejemplo, pueden hacer una campaña escolar para prevenir las intoxicaciones en el hogar. En cartulinas, elaboren cuadros para concentrar y ordenar la información. Pidan ayuda a sus padres o algún otro adulto para saber qué productos con sustancias peligrosas hay en casa. Elaboren una lista de ellos y pregunten para qué se usan; luego, investiguen en internet o en un centro de salud qué medidas existen para evitar intoxicaciones.

También pueden dar a conocer, por medio de carteles, algunos consejos para evitar la picadura o mordedura de animales ponzoñosos y lo que se debe hacer en esos casos.

Comunicación

Elijan un lugar donde la comunidad escolar pueda leer su trabajo, puede ser una pared a la entrada de la escuela o un pasillo principal. Peguen las cartulinas, y dejen una en blanco para recibir los comentarios de sus compañeros acerca de su trabajo o compartir conocimientos sobre otras sustancias, sus usos y formas de prevenir las intoxicaciones.

Evaluación

Al terminar este ejercicio conocerás tu desempeño en el trabajo en equipo. Es importante que reflexiones al respecto para mejorar cada vez más.

	Sí	No	A veces	¿Cómo puedo mejorar?
Expresé mis conocimientos relacionados con la cultura de la prevención de accidentes.	○	○	○	
Busqué, seleccioné y organicé información acerca de la prevención de accidentes.	○	○	○	
Utilicé diversos medios de comunicación, como textos, esquemas y modelos, para dar a conocer tanto la información como los resultados del proyecto.	○	○	○	
Compartí la información y escuché la opinión de los miembros de mi equipo.	○	○	○	

Evaluación

Para contestar lo siguiente será necesaria toda tu atención. Concéntrate en cada pregunta y escribe la respuesta en el espacio correspondiente. Verifica con tu profesor y tus compañeros que la respuesta sea la adecuada; si no es así, lee de nuevo la sección del libro donde se encuentra el tema, subraya la respuesta y vuelve a contestar la pregunta.

1. Contesta las siguientes preguntas.

¿Qué funciones realiza el aparato respiratorio?

_____
_____

¿Por qué es importante conocer los órganos que forman parte de tu aparato sexual?

_____
_____

Menciona algunas situaciones de la vida diaria en las que aún falta alcanzar la equidad de género.

_____
_____
_____

¿Por qué es importante tener una dieta correcta y vivir en un entorno saludable?

_____
_____

Menciona qué acciones promueven la prevención de enfermedades y te conservan sano.

_____
_____

2. Menciona algunas medidas para prevenir intoxicaciones.

_____
_____

3. Argumenta brevemente tu respuesta.

a) Si me enfermo de las vías respiratorias es probable que los órganos de otros sistemas o aparatos de mi cuerpo también se alteren. ¿A qué se debe esto?

_____
_____

b) ¿Qué sustancias tóxicas son las más comunes en casa y qué debemos hacer para evitar ponernos en riesgo a causa de ellas?

_____
_____

Autoevaluación

Es momento de revisar lo que has aprendido en este bloque. Lee cada enunciado y marca con una ✓ el nivel que hayas logrado. Así podrás reconocer tu desempeño al realizar el trabajo en equipo y de manera personal.

	Siempre	Lo hago a veces	Difícilmente lo hago
Reconozco las semejanzas y diferencias en las capacidades físicas e intelectuales de hombres y mujeres.	○	○	○
Promuevo la equidad de género.	○	○	○
Explico la importancia de las vacunas en la prevención de enfermedades.	○	○	○
Identifico las señales de seguridad y su uso.	○	○	○

¿En qué otras situaciones puedo aplicar lo que aprendí en este proyecto? _____
_____
_____
_____

	Siempre	Lo hago a veces	Difícilmente lo hago
Contribuí con información para el trabajo en equipo.	○	○	○
Escuché con atención y respeto a mis compañeros.	○	○	○
Tomé en cuenta las propuestas de trabajo de mi equipo.	○	○	○

Me propongo mejorar en: _____
_____
_____

Ahora, dedica unos minutos para pensar en tu desempeño durante este bloque y contesta las siguientes preguntas:

¿Qué temas se me dificultaron? _____

¿Qué actividades me costaron más trabajo? _____

¿Las pude terminar? _____

¿Qué hice para lograrlo? _____

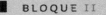

¿Cómo somos los seres vivos?

ÁMBITOS:
- LA VIDA
- EL AMBIENTE Y LA SALUD
- EL CONOCIMIENTO CIENTÍFICO

Durante el desarrollo de este tema, explicarás algunas formas en que las plantas se reproducen y su interacción con el ambiente y con otros seres vivos.

Asimismo, describirás algunas formas de reproducción de los animales y las reconocerás como adaptaciones al ambiente.

← Cañón de Batopilas, en Sinaloa, zona semihúmeda en el norte de México.

Helecho bajo los árboles de la selva tropical.

Piña, fruto del abeto, árbol de bosques fríos.

TEMA 1

Diversidad en la reproducción

Reproducción en plantas

Es probable que hayas sembrado alguna semilla en un jardín, una maceta o el huerto de tu casa. ¿Dónde se originan las semillas? ¿Cómo se forman? Platícalo con los compañeros de clase y anótenlo en el cuaderno.

Orquídea de bosques húmedos.

¿Semilla o planta?

Observa e identifica.

Para reconocer las estructuras de las flores y las semillas, lleven a cabo la siguiente actividad.

Materiales:
- Dos ejotes
- Una flor de calabaza, de lirio o una azucena
- Unas tijeras
- Un alfiler
- Una lupa

Manos a la obra. Abran los ejotes a lo largo y obsérvenlos. ¿Qué tienen adentro? _____
¿Cómo se formaron esas estructuras? _____
_____
_____

¿De qué parte de la planta salen los ejotes? _____
_____

¿Cómo se forman los ejotes y qué función tienen? _____
_____
_____
_____

Con las manos, abran la flor que consiguieron y observen las partes que la constituyen. Para identificarlas auxíliense del esquema y del texto de la derecha. Identifiquen el cáliz, la corola y los estambres. Dibújenlos en su cuaderno.

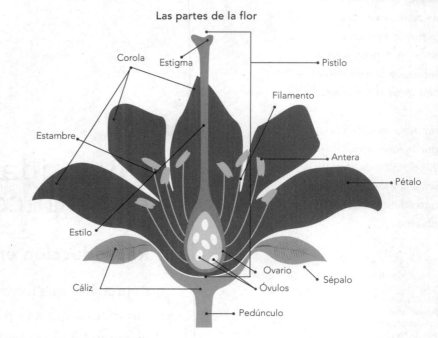

Las partes de la flor

Corola · Estigma · Pistilo · Filamento · Estambre · Antera · Pétalo · Estilo · Ovario · Sépalo · Cáliz · Óvulos · Pedúnculo

El cáliz de la flor está formado por un grupo de estructuras llamadas sépalos. Tiene forma de copa y sirve para sostener y proteger al resto de la flor. La corola, formada por el grupo de pétalos, brinda protección a las estructuras internas de la flor; sus colores y aromas atraen a insectos como las abejas, las aves e incluso a los murciélagos.

Los estambres tienen dos estructuras importantes: la antera y el filamento. Las anteras contienen el polen que vemos como un polvo. Cada grano de polen contiene células, una de las cuales forma el tubo polínico para la reproducción de la planta. El filamento sostiene a la antera en alto para facilitar la dispersión del polen.

El conjunto de estambres, de una planta con flor, constituye el órgano sexual masculino y se le llama androceo.

El centro de la bugambilia es un conjunto de flores pequeñas.

Flor con androceo y gineceo juntos.

Flor de ninfa, Linares, Nuevo León.

Continúen revisando su flor. Encuentren el pistilo y reconozcan en él las tres partes que lo conforman: ovario, estilo y estigma.

Con las tijeras, corten a lo largo el pistilo por la mitad, . Observen con la lupa su interior. Dibujen en su cuaderno las estructuras que observan.

Lean el texto de esta página y anoten en su glosario de ciencias las palabras que no conozcan. Luego, busquen su significado en libros, revistas, diccionarios, enciclopedias e internet, entre otras fuentes.

El pistilo o gineceo es el órgano sexual femenino de una planta con flor. Está formado por tres estructuras: el ovario que contiene las células sexuales femeninas, llamadas óvulos; el estilo, que es un tubo por el cual el ovario se comunica con el exterior, y el estigma que es una superficie con una sustancia pegajosa que fija los granos de polen que ahí se depositan.

Cuando el grano de polen hace contacto con el estigma, desde el polen se forma un tubo polínico que recorre el estilo hasta llegar a un óvulo para fecundarlo. El óvulo fecundado se desarrolla como un embrión envuelto por un material protector y nutritivo: la semilla. Mientras el óvulo se transforma en semilla, el ovario crece y se transforma en fruto.

Algunas plantas se reproducen sexualmente, es decir, lo hacen por la unión de una célula masculina con otra femenina. La fecundación ocurre en la flor. El ejote con el que han trabajado en esta ocasión es el fruto de una planta y en su interior, tal como lo observaron, maduran las semillas de frijol que darán origen a una nueva planta.

Lo que aprendí de la reproducción

Reflexiona y argumenta.

Vuelve a contestar las preguntas que se plantearon al inicio del tema.

Cuando siembras un frijol y germina, se forma una nueva planta, pero ¿sabes qué es la germinación y qué función tiene?

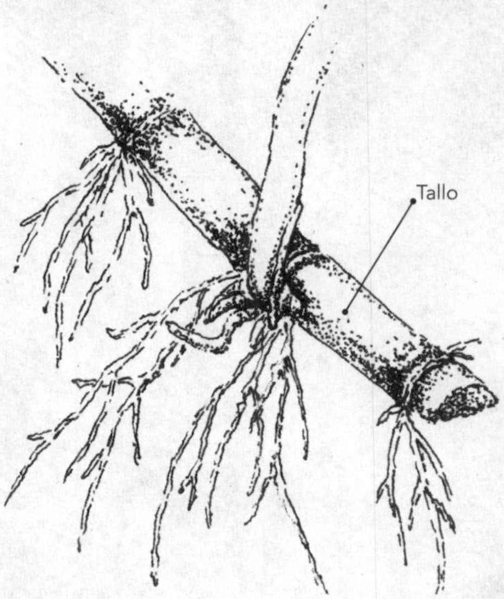

Es probable que hayas visto sembrar tallos que no tienen flores o frutos y después éstos crecen. ¿Conoces alguna planta de este tipo? ¿Qué pasa si siembras el tallo de un geranio o un malvón? Platícalo con tus compañeros y traten de explicar cómo sucede esto.

Tallo

La caña de azúcar y la papa se pueden reproducir por reproducción asexual.

Brotes.

Tallo subterráneo.

Flores y semillas.

El amaranto y el frijol se reproducen por reproducción sexual.

Semilla

Reproducción asexual

Observa, identifica y explica.

En equipos, realicen la siguiente actividad.

Materiales:

- Una flor de geranio, malvón o clavel que no sea blanca, con tallo
- Una cebolla
- Una papa
- Tres frascos de plástico vacíos y limpios
- Dos vasos de vidrio
- Un litro de agua
- Cinco macetas pequeñas o botellas
- Tierra con hojas para maceta
- Una taza o vaso de plástico para medir

Manos a la obra. Viertan una taza con agua en cada frasco de plástico. Corten una hoja, un pedazo de tallo con un nudo y la flor; coloquen cada uno en un frasco con agua. Dejen los frascos en un lugar con luz.

En los siguientes 15 días observen si hay cambios en cada ejemplar: ¿se estropea? ¿Se modifica su forma? ¿Tiene nuevas estructuras? Anoten en su cuaderno las respuestas.

Si en el ejemplar observan nuevas estructuras, trasplántenlas con mucho cuidado a la maceta con tierra. Dibujen en su cuaderno los cambios que notaron.

Coloquen la papa en un vaso con agua, y la cebolla en otro; de tal manera que una parte quede sumergida. Una vez que les salgan raíces, trasplántenlas a las macetas. Dibujen y escriban sus observaciones en su cuaderno. Respondan las siguientes preguntas:

¿Por qué tiene vida propia lo que trasplantaron a la maceta?

_____

¿Cómo intervinieron el androceo y el gineceo para que esto sucediera?

_____

Al sembrar el tallo de un geranio, malvón o clavel en condiciones adecuadas, crece una nueva planta. Muchas plantas pueden reproducirse por medio de los tallos, hojas y raíces. En este tipo de reproducción no hay unión de las células sexuales masculinas con las femeninas, por eso se le llama reproducción asexual. De este modo, un organismo origina otro a partir de una pequeña parte de sí mismo.

Semejanzas y diferencias entre la reproducción sexual y la asexual

Argumenta.

Reproduce en tu cuaderno la tabla de la derecha, y escribe en ella ejemplos de plantas con sus características y si tienen reproducción sexual o asexual.

Formen equipos y comenten sus respuestas.

Características	Ejemplos	Reproducción sexual	Reproducción asexual

La reproducción de las plantas y el ambiente

Antes de que se produzca la fecundación, es necesario que el polen sea transportado de una antera al estigma. Cuando el polen queda adherido al estigma se produce la fecundación, a este proceso se le llama polinización. Pero si sopla el viento, ¿será fácil que los granos del polen caigan precisamente en el estigma de una flor? ¿Y será fácil que esa flor sea precisamente de la misma especie que la que produjo el polen?

La abeja es un insecto benéfico para los seres humanos por su labor de polinización de las plantas y la producción de miel.

Muchos escarabajos son buenos polinizadores.

La polinización de muchas flores depende de las aves.

Hay miles de flores en la naturaleza que requieren de la polinización para producir semillas, y la acción del viento no es suficiente para que ésta se lleve a cabo. Existen muchas especies de insectos y otros animales que viajan de flor en flor para alimentarse del néctar, un líquido dulce que se encuentra en el interior de la flor.

Murciélagos polinizando flores de agave.

El polen

Explica.

En equipos, realicen el siguiente experimento.

Materiales:
- Dos cucharas con talco
- Doce círculos de confeti de color oscuro

Manos a la obra. En el piso del patio de su escuela peguen los circulitos de confeti a 20 centímetros uno de otro. No importa cómo los acomoden.

Colóquense a dos metros del confeti y soplen con fuerza una de las cucharas con talco en dirección al confeti.

Observen ahora el confeti y contesten las preguntas:
¿El confeti quedó cubierto de talco?

_____

¿Creen que el polen pueda cubrir los estigmas de las flores por la acción del viento? _____

En el mismo sitio desde donde soplaron dejen la otra cuchara con talco. Sin moverla ni soplar, ¿cómo podrían cubrir el confeti? Recuerden que pueden moverse y que el talco se adhiere a sus dedos.

Un dato interesante

Existen insectos y murciélagos que se especializan en polinizar determinados tipos de plantas, como las orquídeas.

Cuando los insectos y otros animales se alimentan, el polen se adhiere a sus patas o a sus picos o trompas, según sea el caso, y, en su búsqueda de más alimento en otras flores, depositan involuntariamente el polen recogido de una flor en el estigma de otra.

Es probable que, al realizar la actividad de esta página, hayas tomado con tus dedos el talco y caminaras hasta el confeti para blanquearlo. ¿En qué se parece la actividad que realizaste con el trabajo de las abejas?

Reproducción en plantas

Busca y selecciona información.

Investiga en libros, revistas e internet, entre otras fuentes, en qué consisten la polinización, la dispersión de semillas y la germinación. Organiza la información en tu cuaderno en una tabla como la siguiente y enriquécela con esquemas o dibujos.

Si las semillas producidas por una planta cayeran exactamente debajo de donde surgieron, en ese mismo sitio crecerían tantas plantas que agotarían la tierra del lugar y morirían. ¿Por qué no ocurre así? Piensa en la planta llamada diente de león que crece en diferentes lugares y rara vez se encuentran varios juntos.

Proceso	En qué consiste	Dibujo o esquema
Polinización		
Dispersión de semillas		
Germinación		

Las semillas del diente de león viajan largas distancias, ya que los filamentos que tienen facilitan su transporte aéreo.

Contesta las siguientes preguntas.
¿Qué es la polinización? _____
_____

¿Cómo se lleva a cabo la reproducción asexual en las plantas?
_____
_____

Relaciona las columnas.

1. Órgano sexual femenino
2. Tubo del ovario que se comunica con el exterior
3. Cavidad que contiene las células sexuales femeninas
4. Células sexuales femeninas

a) pistilo o gineceo

b) óvulos

c) estilo

d) ovario

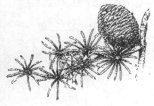

Cuando las piñas del pino se abren, sus semillas aladas se dispersan por la acción del viento.

Consulta en...

Para profundizar en el contenido, visita la página de la FAO <http://www.fao.org/home/es/> y en el buscador anota: **polinización cruzada.**

Visita también la página: <http://www.biologia.edu.ar/botanica/> y busca el tema sobre polinización.

Reproducción sexual en animales

La reproducción de los animales es principalmente sexual. Para que haya un descendiente, un individuo femenino y otro masculino aporta cada uno una célula. Con la fecundación comienza el desarrollo de un nuevo ser. Pero ¿cómo aseguran los animales la supervivencia de sus crías?

Las hembras de reptiles y aves cubren sus células sexuales (los óvulos) con una sustancia resistente para expulsarlas de su cuerpo. Conocemos esas células: son muy grandes, las llamamos comúnmente huevos y su cubierta resistente es el cascarón. Si esa célula sexual es fecundada, se desarrollará una cría.

Nacimiento de una tortuga.

La serpiente pitón pone huevos al igual que las aves.

Al nacer, la serpiente ratonera rompe la cáscara blanda del huevo.

Algunas especies de serpientes incuban el huevo en el interior de la madre.

Reproducción sexual (cópula) de leones.

Como parte de la evolución, las hembras de los mamíferos desarrollaron en su interior el útero y la placenta, con los que protegen y nutren a sus descendientes en desarrollo. A este proceso se le llama *gestación*. Después de un tiempo, cuando el nuevo ser está más desarrollado, es expulsado del cuerpo de la madre.

Aunque las aves y los reptiles ponen huevos para tener descendencia, sus estrategias para cuidarlos son muy distintas.

Manatí con su cría.

Escribe también las condiciones del ambiente que influyen en ese comportamiento. Elabora un reporte de tu investigación y compártelo con tus compañeros.

Incubación

Busca y selecciona información.

Elabora en tu cuaderno una tabla como la siguiente y complétala con la información que investigues en libros, enciclopedias, revistas e internet, entre otros medios, acerca de cómo estas especies cuidan sus huevos para asegurar el nacimiento de sus crías.

Vaca y becerros.

Organismo	Incubación	Ambiente
Cocodrilo tortuga laúd		
Pingüino emperador		
Pájaro cuclillo		

Los reptiles, aves y mamíferos tienen conductas especiales relacionadas con la reproducción. ¿Cómo eligen una pareja? ¿Cómo convencen a la pareja elegida para la reproducción? A este proceso de convencimiento se le llama cortejo. ¿Cómo cuidan a sus descendientes luego de que nacen?

Cópula de gaviotas.

Elección de pareja, cortejo y cuidado de crías

Busca y analiza información.

En equipos, investiguen en libros, revistas, enciclopedias e internet, entre otras fuentes, algunas de las interacciones de los animales durante la reproducción: la elección de pareja, el cortejo y el cuidado de sus crías. Escojan tres especies, como guajolote, pingüino emperador, águila real, oso negro o lobo. Si prefieren, elijan otras. Su investigación la pueden presentar en forma de documental, historieta, folleto, presentación por computadora, cartel o video, entre otros recursos.

Presenten el trabajo a sus compañeros y reflexionen sobre la importancia de estas interacciones para favorecer la supervivencia de los animales.

Recuerden que su trabajo servirá de referencia al profesor para evaluarlos.

Pareja de pingüinos emperador con sus crías emplumadas, Polo Sur.

Consulta en...

Para profundizar en el contenido, entra a la página: <http://www.rena.edu.ve/SegundaEtapa/ciencias/reproduccionanimales.html>.

Durante el desarrollo de este tema, identificarás las características de los hongos y las bacterias que permiten clasificarlos como seres vivos.

Asimismo, aprenderás a valorar la importancia de los hongos y las bacterias en su interacción con otros seres vivos y el ambiente.

TEMA 2

Otros seres vivos: los hongos y las bacterias

¿Han escuchado hablar de los hongos y las bacterias? ¿Qué saben de ellos? En clase platíquenlo con su profesor y anoten las conclusiones en su portafolio de ciencias.

Hongos cabeza de garrote (a) y bejín (b) emergen de una cubierta de musgo.

Hongos creciendo sobre un tronco de árbol muerto, al cual descomponen.

Los hongos y las bacterias

Busca y selecciona información.

Investiga en libros de la Biblioteca Escolar, revistas o internet, las características de los hongos y las bacterias, su clasificación, y los beneficios y riesgos que representan para el ser humano.

Las bacterias y los hongos son seres vivos. El yogur es una mezcla de bacterias llamadas lactobacilos, las cuales producen un ácido con la leche. Las levaduras son un tipo de hongos que ayudan a la fermentación de algunas sustancias. Tanto las levaduras como los lactobacilos son organismos tan pequeños que no pueden verse a simple vista, por eso se les conoce como microorganismos.

En la naturaleza hay hongos de distintos tamaños, desde microscópicos hasta macroscópicos, como el champiñón o la seta gigante. Los hongos y las bacterias son numerosos y se encuentran en casi todas partes, incluso en el cuerpo humano.

Como has podido investigar, los hongos y las bacterias, al igual que otros seres vivos, se nutren, respiran y se reproducen. Aunque no los puedas ver, sí puedes identificar sus funciones mediante experimentos como los que a continuación realizarás.

Uso de microorganismos en la elaboración de alimentos

Experimenta, observa y analiza.

Formen equipos. La mitad del grupo realice el primer experimento, y la otra, el segundo. En su cuaderno anotarán sus observaciones y responderán las preguntas.

Materiales:
- 1/4 de yogur natural
- Un litro de leche entera de vaca
- Una cuchara
- Un recipiente con tapa
- Un sobre de levadura en polvo
- 20 cucharadas de azúcar
- Dos botellas limpias de plástico de un litro
- Dos globos medianos
- Agua

Elaboración de yogur

Manos a la obra. En su cuaderno describan algunas características de la leche, como color, olor, sabor y consistencia.

Con ayuda de un adulto hiervan la leche y déjenla enfriar. Cuando esté tibia incorporen y mezclen dos cucharadas de yogur natural. Tapen el recipiente y déjenlo en un lugar tibio.

Doce horas después, observen de nuevo sus características: ¿Qué le pasó a la leche?

¿Qué pudieron haber hecho las dos cucharadas de yogur con la leche?

A partir de lo observado, explica qué interviene y qué se logra en el proceso de elaboración del yogur.

Levadura

Disuelvan 20 cucharadas de azúcar en dos litros de agua, vacíen un litro de la disolución en cada botella. Coloquen un globo en la boca de una de las botellas.

Añadan la levadura en la segunda botella y coloquen también un globo. Dejen pasar dos horas y observen ambas botellas.

Mantengan las botellas durante seis días, y una vez transcurridos observen las botellas.

¿Qué diferencia hay entre las dos botellas? Dibújenlas en su cuaderno.

¿Qué sustancia ocasiona los cambios?

¿Qué produjo el gas?

A partir de estos resultados, ¿podemos suponer que la levadura respira? ¿Por qué?

¿Por qué hay más levadura en la botella el sexto día que el primero?

¿Qué suponen que hace la levadura con el azúcar?

Comenten sus respuestas con el resto del grupo, lleguen a una conclusión grupal y escríbanla en su cuaderno.

Lo que ocasionan las bacterias y los hongos

Observa, reflexiona y concluye.

Algunos profesionistas de la salud, como enfermeras, médicos, laboratoristas, entre otros, se deben vestir con ropa adecuada, manejar materiales con guantes o pinzas y usar botas o mascarillas especiales para evitar que los virus, bacterias y hongos dañen su salud.

1. Organízate en equipo y realiza el siguiente experimento para demostrar cómo se desarrollan los microorganismos al ingresar a tu cuerpo.

Materiales:
- Un sobre de gelatina sin sabor
- Un cubito de sazonador
- Tres frascos de vidrio con tapa
- Una toalla de papel o de algodón limpia
- Medio litro de agua
- Una cacerola
- Una cuchara

En casa:

Con ayuda de un adulto desinfecta los frascos y sus tapas metiéndolos en agua hirviendo durante 5 minutos.

Disuelve el cubo de sazonador y el sobre de gelatina en medio litro de agua caliente.

Déjalo hervir durante 10 minutos.

Cuando la mezcla esté a temperatura ambiente, vacíala en cada frasco y mantenlos tapados. Deja que se solidifique la gelatina.

En la escuela:

Etiqueta los frascos de la siguiente manera:

Frasco 1: Manos aparentemente limpias

Frasco 2: Manos sucias

Frasco 3: Manos recién lavadas

Toca la mezcla del frasco número 1 con tus dedos.

¡Ensúciate las manos bacterialmente!, por ejemplo: toca las suelas de tus zapatos, recoge tierra, toca unas monedas o frota tu banca.

Ahora que tienes las manos sucias, toca con tus dedos la gelatina del frasco número 2.

Lávate bien las manos con agua y jabón, sécalas muy bien con la toalla de papel o de algodón y toca la mezcla del frasco número 3.

Tapa bien los frascos y déjalos en un lugar cálido de 24 a 36 horas.

Durante la siguiente semana observa los cambios de color, olor y textura que tendrá el contenido de los frascos.

Registra en el cuadro siguiente los puntos blancos que aparecen en cada frasco: cada uno es una colonia de bacterias.

Es importante adoptar las siguientes medidas preventivas para evitar que los microorganismos dañen tu cuerpo:

- Desinfectar lesiones de la piel.
- Evitar tocarse los ojos con las manos sucias.
- Curar picaduras, mordeduras, cortes, erosiones, etcétera.
- Evitar beber o comer con los mismos utensilios que utiliza una persona enferma.
- No beber agua de charcos o de riego.
- Desinfectar las verduras y frutas.

2. Ahora encuentra en el laberinto de la página siguiente el camino correcto para llegar a la meta sin sufrir un riesgo por un microorganismo.

Pregunta en casa si alguno de tus familiares, por su trabajo, está expuesto a algún microorganismo y qué hace para protegerse.

Frascos	Día		
	Uno	Dos	Tres
1			
2			
3			

los alimentos. Si consumimos los alimentos en estado de descomposición nos causan daño.

También hay hongos y bacterias que, al entrar a nuestro cuerpo, nos pueden causar problemas de salud, como es el caso del pie de atleta o la tiña.

Recuerda que no todos los hongos se comen; es importante adoptar medidas preventivas. Investiga cuáles son algunas de estas medidas.

La descomposición de los alimentos

En algunas ocasiones, cuando dejamos un poco de comida fuera del refrigerador, ésta se descompone o se echa a perder. ¿Por qué adentro del refrigerador los alimentos no se descomponen y fuera de él sí? ¿Qué ocasiona su descomposición?

Los hongos y las bacterias descomponen los restos de comida, de hojas, troncos y de organismos muertos, entre otros; así la materia se reintegra al ambiente. Pero también algunos microorganismos resultan perjudiciales, pues pueden descomponer

Hongos que intervienen en el proceso de descomposición de material orgánico.

Durante el desarrollo de este tema, explicarás cuál es la dinámica de un ecosistema a partir de algunas interacciones que ocurren entre los factores físicos y los biológicos.

Asimismo reconocerás los efectos de las actividades humanas en los ecosistemas a fin de proponer acciones para mantener su estabilidad.

TEMA 3

Estabilidad del ecosistema y acciones para su mantenimiento

Cuando observas una maceta, un huerto, un jardín o el campo, ¿te has preguntado qué necesitan los organismos de ese lugar para sobrevivir? Comenta tu respuesta con el grupo y anota las conclusiones en tu cuaderno.

En este tema conocerás algunas de las relaciones que establecen los organismos con su entorno.

Los manglares se localizan en las lagunas costeras; en ellos se produce una gran cantidad de alimento para diversos seres vivos.

El terrario

Experimenta, observa y analiza.

En equipos, realicen la siguiente actividad.

Materiales:

- Un envase transparente de plástico de 10 litros
- Carbón vegetal
- Grava
- Tierra
- Hojas secas
- Plantas pequeñas como helechos, hiedra o cactus
- Insectos y caracoles vivos
- Agua
- Troncos pequeños
- Piedras pequeñas

Manos a la obra. Con ayuda de un adulto, corten el envase 10 centímetros por debajo de la boca de la rosca.

En el fondo del envase coloquen una capa delgada de carbón en pedacitos; con esto evitarán encharcamientos.

Agreguen una capa de grava, después una de tierra y, por último, las hojas secas. Coloquen dentro las plantitas y cubran las raíces con más tierra y hojas, de tal manera que parezca un jardín pequeño.

Introduzcan los insectos y caracoles, y tapen el envase. Han construido un terrario.

Coloquen el terrario en un lugar donde haya luz, pero sin que le dé directamente los rayos del sol. Destápenlo con frecuencia para ventilarlo o hagan pequeñas perforaciones en la tapa. Abónenlo y riéguenlo, dependiendo de las necesidades de los animales y vegetales que están dentro.

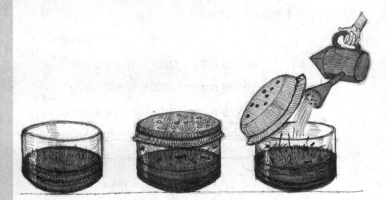

En el terrario que acabas de construir existen diferentes especies de animales, plantas, hongos y bacterias; además de condiciones físicas que ayudan a que éstos se mantengan con vida, como el agua, la luz solar y el aire. Este conjunto de seres vivos y componentes físicos pueden mantenerse vivos durante mucho tiempo en el terrario, pues entre ellos establecen relaciones que propician un equilibrio: las plantas alimentan a los animales, éstos al morir nutren a los microorganismos, y las sustancias que liberan son aprovechadas por las plantas. Además, el aire, la luz y la temperatura favorecen la supervivencia de todos los organismos.

Algunos componentes del terrario.

El ecosistema

Un ecosistema es un conjunto de seres vivos (factores biológicos) y condiciones ambientales (factores físicos) relacionados estrechamente y que comparten un determinado lugar. Ejemplos de factores físicos son la luz solar, el suelo, el agua, los nutrimentos, la temperatura y el aire, entre otros.

Cualquier alteración en alguno de los componentes de un ecosistema afecta a todos los demás; por ejemplo, si en el terrario que construiste dejaras de agregar agua, ¿qué pasaría con las plantas? ¿Y si ya no hubiera luz? Algunos animales del terrario se alimentan de plantas, ¿qué pasaría con ellos si ya no tuvieran comida?

Lo vivo y lo no vivo

Observa, identifica y explica.

En equipos, investiguen el significado de las palabras *biótico* y *abiótico*. Luego, observen la imagen y señalen cuáles son los factores biológicos y los físicos.

Factores
abióticos.

Consulta en...

Para profundizar en el contenido, visita los siguientes portales:

RENA <http://www.rena.edu.ve/>, accede a tu grado y haz clic en Ciencias; luego, al tema ecosistema.

<http://www.fansdelplaneta.gob.mx/>; <http://basica.primariatic.sep.gob.mx> y en el buscador

anota: ecosistema.

El ser humano utiliza la naturaleza para su desarrollo y progreso, aunque muchas veces lo hace de forma excesiva. Para evitar las alteraciones que ocasiona el uso inadecuado de recursos es necesario establecer medidas como la veda; es decir, la prohibición temporal o permanente de la pesca y la caza; de esta manera, se busca que ninguna especie en peligro corra el riesgo de extinguirse. Otras medidas son rotar los cultivos para que la tierra recupere sus nutrimentos, emplear abonos naturales, evitar la tala inmoderada de bosques y reforestar áreas explotadas intensamente.

La participación de todos en la preservación de los recursos naturales ayudará a tener lugares, y un país, más productivos.

El agua y los ecosistemas

La calidad del agua es vital para los seres vivos presentes en los ecosistemas; la vegetación de cada ecosistema depende de la disponibilidad de agua en forma de lluvia. Las plantas presentan características que les permiten aprovechar el líquido vital.

En los desiertos, la vegetación retiene la poca agua de lluvia o neblina que se presenta; en contraste, la lluvia que se precipita en las selvas y los bosques es tan abundante que la vegetación deja escurrir una parte.

En los bosques de pino el agua se congela y cae como nieve, escarcha o granizo, así que los pinos tienen hojas con una cubierta que evita que se congelen.

Hay ecosistemas con clima seco durante varios meses y lluvia el resto del año, temporada en que las plantas dan frutos y producen semillas, antes de la siguiente sequía.

El agua en forma de lluvia, granizo, escarcha, neblina y nieve abastece lagos, ríos, lagunas y mares, mantiene la humedad en bosques, selvas, matorrales, desiertos, tierras de pastoreo, manglares y zonas costeras. Esto favorece la existencia de numerosos seres vivos, muchos de los cuales aprovechamos los seres humanos.

En México, la lluvia es la principal fuente de agua para los usos humanos y se distribuye de la siguiente manera: las zonas centro y norte son áridas o semiáridas y reciben poca lluvia; en contraste, los estados del sur y sureste reciben casi la mitad de lluvias; el estado de Baja California recibe menos agua de lluvia y Tabasco tiene más precipitaciones.

Nubes
sobre el
Volcán de
Fuego,
Colima,
México.

Montañas
de Baviera,
Alemania.

Cascada en
La Huasteca,
San Luis
Potosí,
México.

Cadenas alimentarias

Cadenas alimentarias

Analiza.

Observa las siguientes fotografías y traza flechas para indicar qué organismo sirve de alimento al otro.

La serie de flechas que acabas de trazar, señalando los organismos, representan una cadena trófica o alimentaria, es decir, la ruta del alimento desde un productor hasta un consumidor final, por ejemplo:

granos ⟶ ave ⟶ serpiente ⟶ halcón.

Los organismos de una cadena trófica pueden ser productores, consumidores o descomponedores.

Zopilote Rey, Xcaret, Quintana Roo, México.

Liebre de Tehuantepec, Santa María, Oaxaca, México.

Monstruo de Gila.

Hongos políporos sobre abedul.

Los organismos productores son las plantas, pues producen su propio alimento a partir de la energía solar, del agua y del dióxido de carbono.

Musgo.

Moho mucilaginoso sobre madera.

Jaguar, Monterrey, Nuevo León, México.

Los organismos consumidores son incapaces de producir sus propios alimentos. Se dividen en consumidores primarios, secundarios y terciarios.

Los consumidores primarios o herbívoros son los que se alimentan directamente de las plantas. Los consumidores secundarios

o carnívoros primarios son los que se alimentan de los herbívoros. Los consumidores terciarios o carnívoros secundarios son los que se alimentan de los carnívoros primarios.

Los organismos descomponedores, como su nombre lo indica, son aquellos que descomponen los organismos muertos para reintegrar la materia al ambiente, como los hongos y las bacterias.

Carpintero bellotero.

Nuestro ecosistema

En este proyecto aplicarán los conocimientos que han adquirido acerca de la estabilidad y la regeneración de los ecosistemas, y realizarán acciones concretas para cuidar el ambiente.

Asimismo, seleccionarán y sistematizarán la información obtenida por medio de entrevistas, encuestas y observaciones directas del ecosistema de su localidad, y utilizarán diversos medios de comunicación, tales como el periódico mural, folletos y carteles para dar a conocer los resultados de su investigación a la comunidad escolar.

Planeación

Entre todo el equipo decidan qué proyecto realizarán para contestar una de las siguientes preguntas:

¿Cuáles son las alteraciones que podemos identificar en el ecosistema de nuestra localidad?

¿Cómo podemos participar desde la escuela en la regeneración del ecosistema?

Debe asignarse una labor específica a cada uno de los integrantes; el propósito es que todos cumplan con una función para que el trabajo en equipo sea organizado y colaborativo. Anota en tu cuaderno los nombres de tus compañeros y cada una de las funciones que deberán cumplir.

Nombre del integrante	Función del integrante

Venado cola blanca.

Desarrollo

Para el desarrollo de su proyecto pueden investigar los tipos de ecosistemas que existen en nuestro país y localizarlos en un mapa.

Busquen información de los animales y las plantas que habitan en su localidad.

Investiguen en internet, libros y revistas sobre los ecosistemas. Las siguientes preguntas pueden guiarlos en su investigación: ¿cómo influyen los factores ambientales en la existencia de una mayor variedad de especies en los ecosistemas?, ¿cómo han cambiado las relaciones entre los factores biológicos y físicos de los ecosistemas?, ¿qué seres vivos han desaparecido o están en peligro de extinción en México?, ¿por qué es importante cuidar los ecosistemas?

De ser posible, visiten una oficina que se dedique al cuidado del ambiente en su localidad y consigan información acerca de cuáles son las acciones que pueden llevarse a cabo para evitar el deterioro de los ecosistemas.

Comunicación

Con la información que obtuvieron hagan un artículo ilustrado. Lo pueden hacer en computadora o utilizar materiales de reúso y de fácil adquisición, así como dibujos o recortes de revistas o periódicos que ya no usen sus familiares, vecinos o amigos.

Con la guía de su profesor lleven a cabo un plan de acción para difundir su trabajo y las soluciones que proponen para evitar el deterioro de los ecosistemas y la desaparición de especies en México, especialmente en su estado o localidad.

Con todos los artículos ilustrados, elaboren una revista o gaceta escolar; de esta manera podrán interesar a la comunidad escolar y a los habitantes de su colonia o barrio. También pueden difundir la información en un periódico mural.

Evaluación

Al realizar este ejercicio podrás conocer tu desempeño en el trabajo en equipo.
Es importante que reflexiones al respecto para mejorar cada vez más.

	Sí	No	A veces	¿Cómo puedo mejorar?
Expresé mis conocimientos relacionados con la interrelación de los seres vivos en un ecosistema y la importancia de conservarlos.	○	○	○	
Busqué, seleccioné y ordené información acerca de la interrelación de los seres vivos en un ecosistema y la importancia de conservarlos.	○	○	○	
Utilicé diversos medios de comunicación, como textos, esquemas y modelos, para dar a conocer tanto la información como los resultados del proyecto.	○	○	○	
Compartí la información y escuché la opinión de los miembros de mi equipo.	○	○	○	

Evaluación

Para contestar lo siguiente será necesaria toda tu atención. Concéntrate en cada pregunta y escribe la respuesta en el espacio correspondiente. Verifica con tu profesor y tus compañeros que la respuesta sea la adecuada; si no es así, lee de nuevo la sección del libro donde se encuentra el tema, subraya la respuesta y vuelve a contestar la pregunta.

1. Relaciona las palabras de la izquierda con los conceptos de la derecha:

   a) Cáliz
   b) Antera
   c) Corola
   d) Estambre

   (   ) Contiene al polen.
   (   ) Está formado por el grupo de pétalos.
   (   ) Lo forman la antera y el filamento.
   (   ) Tiene forma de copa y sirve para sostener y proteger la flor.

2. Menciona una breve descripción de las características de los hongos y bacterias.
   _____
   _____

3. Contesta brevemente.

   a) ¿Cuál es el papel de los hongos y bacterias en la descomposición de los alimentos y de los organismos muertos?
   _____
   _____

   b) Menciona una cadena alimentaria señalando los productores, consumidores y descomponedores.
   _____
   _____

Autoevaluación

Es momento de revisar lo que has aprendido en este bloque. Lee cada enunciado y marca con una ✓ el nivel que hayas logrado. Así podrás reconocer tu desempeño al realizar el trabajo en equipo y de manera personal.

	Siempre	Lo hago a veces	Difícilmente lo hago
Explico algunas formas en que las plantas se reproducen y su interacción con otros seres vivos y el ambiente.	◯	◯	◯
Reconozco los efectos de las actividades humanas en los ecosistemas, con el fin de proponer acciones para mantener su estabilidad.	◯	◯	◯

¿En qué otras situaciones puedo aplicar lo que aprendí en este proyecto?

_____

_____

	Siempre	Lo hago a veces	Difícilmente lo hago
Contribuí con información para el trabajo en equipo.	◯	◯	◯
Escuché con atención y respeto a mis compañeros.	◯	◯	◯
Tomé en cuenta las propuestas de trabajo de mi equipo.	◯	◯	◯

Me propongo mejorar en:

_____

_____

Ahora dedica unos minutos para pensar en tu desempeño durante este bloque y contesta las siguientes preguntas:

¿Qué temas se me dificultaron? _____

¿Qué actividades me costaron más trabajo? _____

¿Las pude terminar? _____

¿Qué hice para lograrlo? _____

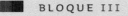 BLOQUE III

¿Cómo son los materiales y sus interacciones?

ÁMBITOS:
- LOS MATERIALES
- LA TECNOLOGÍA
- EL CONOCIMIENTO CIENTÍFICO

Tres estados
de la materia:
líquido (agua),
sólido (hielo) y
gaseoso (nubes).

El avión deja estelas de humo. Los dos patrones circulares al centro de la imagen (vórtices) son causados por aire que gira desde la punta de los motores del avión. El patrón resultante es conocido como *ángel de humo*.

Durante el desarrollo de este tema, clasificarás los materiales de uso común, de acuerdo con las características de sus estados físicos. También relacionarás los cambios de estado de los materiales con la variación de la temperatura.

Asimismo, describirás el ciclo del agua y lo relacionarás con su importancia para la vida.

TEMA 1

Características de los estados físicos y sus cambios

Estados físicos

Si observas a tu alrededor, encontrarás una gran variedad de objetos hechos con diferentes materiales. Reflexiona en lo siguiente: ¿de qué materiales están hechos los objetos que ves a tu alrededor? ¿Qué observas en un vaso de agua? ¿Y en el aire? Aunque no puedes ver el aire, lo percibes cuando hace viento y sabes que está a nuestro alrededor. ¿Conoces los componentes que tiene el aire? ¿Cuáles son? ¿Cuáles son las características que distinguen los diferentes materiales que nos rodean?

Estados físicos de la materia

Observa y clasifica.

Formen equipos para trabajar.

Materiales:
- 100 ml de agua
- 100 ml de miel
- 100 ml de leche
- 100 ml de aceite
- Una piedra pequeña
- Una moneda
- Un trozo pequeño de madera
- 100 g de azúcar
- 100 g de harina
- 100 g de arena
- Un globo mediano
- Una charola o palangana grande
- Una jeringa de 10 ml, sin aguja

Observen con atención las semejanzas y diferencias en las características de cada uno de los materiales.

a) Viertan miel, agua, aceite, leche, azúcar, harina y arena, uno por uno a la charola o palangana y observen. ¿Cuáles se extienden en la charola y cuáles se acumulan en un solo lugar?

b) A la moneda, la piedra y el pedazo de madera intenta aplastarlos con las manos. ¿Cambian de forma?

c) Infla el globo. ¿Qué forma tomó? ¿Se puede deformar si lo aplastas?

d) Toma la jeringa, saca el émbolo (que es la parte de plástico negra que empuja el líquido a la salida de la jeringa) y con el pulgar tapa el orificio de salida, ahora coloca el émbolo en su lugar y trata de aplastar al aire que quedó contenido en la jeringa. ¿Qué sucede?

e) Realiza esto último, pero metiendo en la jeringa, uno por uno, la miel, la leche, el azúcar, la harina, el arena, el agua y el aceite. Lava la jeringa en cada caso y observa lo que sucede con los materiales. ¿Se comprimen?

Anoten sus respuestas en el cuaderno y elaboren una tabla como la de la página siguiente. Tachen la característica que presenta cada uno de los materiales, para lo cual es necesario que consideren lo siguiente:
- Si los materiales no cambiaron de forma, se dice que tienen una forma *definida*.
- Si los materiales se extendieron uniformemente en la charola se dice que *fluyen*.
- Si pudiste reducir de tamaño los materiales, aunque sea momentáneamente, se dice que son *compresibles*.

Observen la tabla y con los datos contesten las siguientes preguntas.

¿Qué objetos tienen forma definida, no son compresibles y no fluyen? _____

¿Qué objetos son compresibles? _____

¿Qué objetos fluyen? _____

Forma grupos de materiales de acuerdo con las características que presentan. ¿En cuántos grupos los pudiste separar? _____ ¿Cuáles son estos grupos?
_____

Es probable que hayan llegado a clasificar los materiales en tres grupos diferentes. Comenten sus resultados en el grupo.

Material	Tiene forma definida	Se esparce en la charola (fluye)	Se comprime	Estado físico
Agua				
Miel				
Leche				
Aceite				
Piedra				
Moneda				
Madera				
Azúcar				
Harina				
Arena				
Aire				

Los materiales de que estén hechos los objetos tienen distintas características.

Los líquidos

Otros materiales tienen volumen definido pero no forma; adquieren la del recipiente que los contiene; no se comprimen ni tienen dureza. Estos materiales se encuentran en estado líquido. ¿Cuáles materiales de la actividad anterior están en este estado?

Los sólidos

En la naturaleza hay algunos materiales que tienen volumen, forma definida, no se pueden comprimir (es decir, no pueden reducir su volumen) y no fluyen. Los materiales con estas características están en estado sólido. ¿Cuáles materiales de la actividad anterior entrarían en esta categoría?

¿Líquidos o sólidos?

Clasifica y argumenta.

Los resultados y el cuadro analizado en la actividad anterior te ayudarán a argumentar y a clasificar el estado físico de la harina, el azúcar y la arena. Éstos son materiales que al verterlos de un recipiente a otro parece que fluyen, adquieren la forma del recipiente que los contiene, no oponen resistencia cuando ejerces presión en ellos y probablemente a ninguno lo pudiste comprimir. ¿Los clasificarías como líquidos? Justifica tu respuesta en el cuaderno.

Los gases

Otro conjunto de materiales se encuentra en estado de gas. No tienen volumen definido y toman la forma del recipiente que los contiene, es decir, si el gas se cambia de recipiente, se expande o se comprime, ocupa y toma la forma del nuevo recipiente.

Los gases son materiales que se comprimen (reducen su volumen), se difunden (se esparcen de manera espontánea), se dilatan (aumenta su volumen al aumentar la temperatura) y son elásticos (recuperan su volumen al quitar una presión externa).

Un dato interesante

Además de los estados sólido, líquido y gaseoso existe un cuarto estado de la materia conocido como *plasma*. Es un estado poco frecuente, pero que alguna vez has observado cuando se genera un corto circuito y de manera instantánea salta una chispa. El plasma se puede obtener de manera artificial al calentar un gas a temperaturas muy altas. Durante una aurora boreal y en los rayos de una tormenta eléctrica es posible observar el plasma. En el universo visible más de 99% de la materia se encuentra en este estado.

Dióxido de carbono en estado sólido (hielo seco).

Yodo. Al calentarse se forma un gas.

Cambios en los estados físicos de la materia

Seguramente has congelado agua y la has visto convertirse en hielo. ¿A qué se debió este cambio? Si de camino a la escuela cae una lluvia ligera podemos brincar en algunos charcos, pero de regreso a casa ya no están. ¿Por qué suceden estos cambios? Coméntalo con tus compañeros.

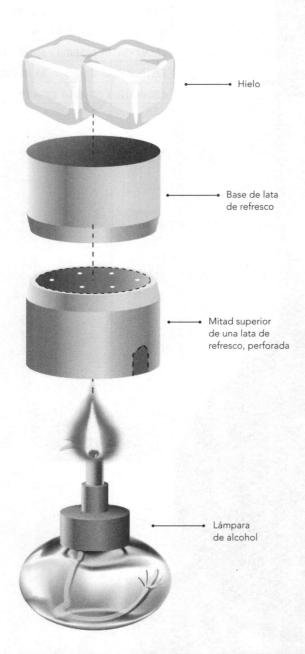

Hielo

Base de lata de refresco

Mitad superior de una lata de refresco, perforada

Lámpara de alcohol

¿Los cuerpos cambian?

Observa.

En equipo, realicen la siguiente actividad.

Materiales:
- Una lámpara de alcohol
- Una lata de refresco de 355 ml, limpia
- Unas tijeras
- Dos cubos de hielo

Manos a la obra. Con ayuda de su profesor, corten la lata de refresco a la mitad. A la parte superior háganle orificios con las puntas de las tijeras; esto les servirá de base. Observen la imagen de la izquierda.

Coloquen dentro de la base la lámpara de alcohol y pídanle a su profesor que la encienda.

Pongan los cubos de hielo dentro de la mitad inferior de la lata y colóquenla sobre la base. Observen lo que sucede durante 15 minutos. Anoten sus observaciones.

_____
_____
_____
_____
_____

Al inicio, ¿en qué estado físico estaba el agua?_____

Después de un rato, ¿en qué estado físico se encontró?

_____

Al final de la experiencia, ¿a qué estado físico se transformó el hielo?_____

¿Por qué ocurre ese cambio?

_____

Algunos materiales pueden cambiar de estado
físico. Por ejemplo, el hielo cambia de estado sólido
a líquido, es decir, se funde. Cuando el agua hierve
pasa del estado líquido al gaseoso; esto sucede
aproximadamente a los 100 °C, que es el punto de
ebullición del agua.

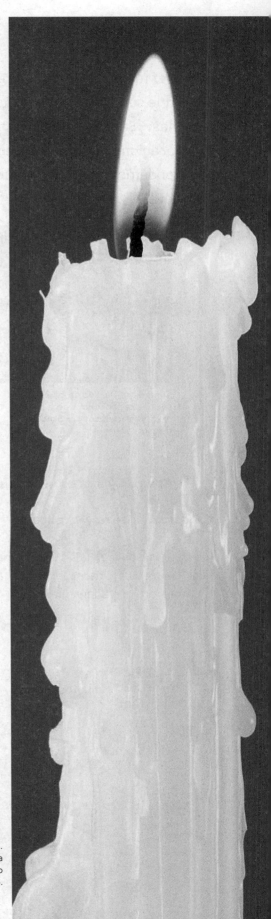

Mantequilla pasando
del estado sólido
al líquido.

Los puntos de fusión y ebullición son distintos
para cada material; por ejemplo, el punto de fusión
de la mantequilla es aproximadamente de 38° C,
mientras que el de la parafina de una vela es de 60° C.

En la actividad anterior observaste el cambio de
estado del agua: de sólido a líquido y de líquido a
gaseoso. Se trató del mismo material, pero en los tres
estados físicos.

Punto de fusión.
La parafina de la vela
cambia del estado
sólido al estado líquido.

Ciclo del agua

Puede ser muy divertido mirar el cielo: hay nubes que semejan figuras y las hay grandes y pequeñas. ¿Sabes cómo se forman las nubes?

En ocasiones, al ver el aspecto y color de las nubes podemos pronosticar que lloverá. ¿Por qué llueve?

Cirrus o cirro, un tipo de nube compuesta por cristales de hielo, y caracterizada por bandas delgadas y finas.

El agua y sus estados físicos

Observa, analiza y explica.

En parejas, analicen la siguiente imagen y discutan qué le sucede al agua; luego, con la supervisión de su profesor, en plenaria elaboren una conclusión.

Cumulus o cúmulo, nube de apariencia algodonosa.

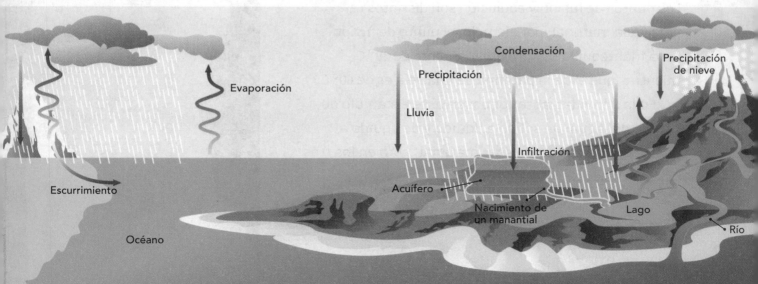

Condensación

Evaporación

Precipitación

Precipitación de nieve

Lluvia

Infiltración

Escurrimiento

Acuífero

Nacimiento de un manantial

Lago

Océano

Río

El movimiento del agua alrededor del planeta es el ciclo del agua o ciclo hidrológico, por ello la encontramos en la naturaleza en cualquiera de los tres estados físicos.

El agua de los océanos y los lagos se evapora. El vapor sube a la atmósfera y se condensa en diminutas gotas de agua, que dan origen a las nubes. Cuando esas pequeñas gotas se enfrían, se condensan (se unen y forman otras más grandes) y su peso las hace caer como lluvia, pero si se enfrían de manera muy rápida, se solidifican y caen como nieve o granizo.

Una parte del agua de lluvia que cae se infiltra en el suelo y reabastece los mantos acuíferos (reserva de agua dulce que está a unos centímetros de la superficie terrestre o a varios metros de profundidad) y los manantiales; otra parte de la lluvia forma los arroyos y los ríos. El agua que fluye en los ríos puede estancarse en un valle y formar lagos o descender hasta los océanos. Así comienza nuevamente el ciclo.

Cenotes en la península de Yucatán. Los cenotes son un ejemplo de filtración y escurrimiento de agua.

El ciclo del agua es un proceso importante porque la mantiene en constante circulación. Esto contribuye a la humedad del ambiente y permite que los organismos se mantengan vivos. Además, la humedad regula la temperatura y es un factor que determina el clima.

Al recorrer el ciclo, el agua se purifica. Sin embargo, el ciclo también se altera debido a las actividades humanas que, por una parte, contaminan el agua y, por otra, la sobreexplotan para cubrir las necesidades de una población que crece, lo que hace este líquido cada vez más escaso.

¿Cuánta agua nos queda?

Investiga y reflexiona.

El agua es un recurso natural indispensable para la vida en la Tierra. Durante la infiltración el agua se purifica y se vuelve potable. Los seres humanos la utilizamos en actividades como lavar, cocinar o asearnos. En equipo, investiguen en libros e internet la cantidad de agua apta para consumo humano, los cuerpos de agua existentes y las actividades y conductas que causan su contaminación. Reflexionen y contesten: ¿qué medidas proponen para cuidar este recurso?

Para que el ciclo del agua se lleve a cabo de manera adecuada, es importante disminuir el impacto de nuestras actividades sobre los ecosistemas terrestres y acuáticos. El agua es fundamental en todos los ecosistemas, de ella dependen los seres vivos que los habitan y de ellos dependemos los seres humanos.

Consulta en...

Para profundizar en el contenido entra a <http://basica.primariatic.sep.gob.mx/> y en el buscador anota: **agua**.

Muro romano. Representación de naturaleza muerta con aves, hongos, frutas y peces.

Durante el desarrollo de este tema, reconocerás algunos factores que influyen en la cocción y descomposición de los alimentos.

Asimismo, describirás algunas aportaciones de la tecnología y su desarrollo histórico en la preparación y conservación de los alimentos.

TEMA 2

La cocción y la descomposición de los alimentos

En la antigüedad el ser humano descubrió por accidente las ventajas de cocer los alimentos; quizá por descuido dejó una pieza de carne cerca

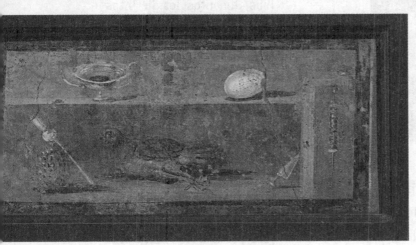

del fuego y después, al probarla, descubrió que su sabor era mejor, que tenía una consistencia más suave y era más fácil de digerir que la carne cruda.

Cuando los alimentos son sometidos al calor, sus propiedades cambian. A esta acción se le conoce como cocción.

La cocción de los alimentos

Reflexiona y concluye.

Reúnete con tu equipo de trabajo y comenten para qué sirve cocinar los alimentos. Luego escriban en el cuaderno su conclusión.

Desde hace 200 000 años el ser humano ha utilizado el fuego para cocinar sus alimentos.

Ingredientes típicos de la cocina maya: hojas de chaya, calabaza, chile xcatic, achiote y epazote.

Los alimentos cocinados son más apetitosos; la manera de prepararlos es parte de nuestra cultura. Desde el punto de vista de las ciencias naturales, la importancia de la cocción de los alimentos radica en que sus propiedades cambian durante el proceso.

Un dato interesante

Para mejorar el sabor de sus alimentos, los distintos grupos humanos han agregado ingredientes que se encuentran en el lugar donde habitan. Por ejemplo, se tiene registro de que en el antiguo Imperio romano había personas que se dedicaban a preparar nuevos platillos para agasajar al emperador. En la actualidad, la manera de preparar los alimentos es una peculiaridad cultural de cada país.

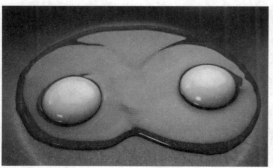

Huevos crudos.

Huevo frito.

Freír los alimentos es una manera de cocinar.

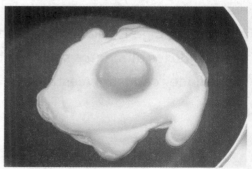

La transformación de los alimentos

Observa y analiza.

Ayuda a tus padres a cocinar, observa e identifica las propiedades de los alimentos crudos, como su color, olor, sabor y consistencia, y compáralas con sus propiedades después de cocidos. Sugerimos alimentos como huevo, carne, verduras y leguminosas. No pruebes la carne cruda.

Organiza tu información en el siguiente cuadro.

Alimento		Color	Olor	Sabor	Consistencia
Huevo	Crudo				
	Cocido				
Carne	Cruda				
	Cocida				
Verduras	Crudas				
	Cocidas				
Leguminosas	Crudas				
	Cocidas				

Cuando los alimentos se cuecen adquieren características diferentes de las originales; cambian, por ejemplo, su color, su olor o su sabor. Esto lo puedes percibir con tus sentidos, sin embargo, no es lo único que cambia. Muchos componentes de los alimentos se transforman; los nutrimentos, como las proteínas que utilizamos para reparar el organismo y crecer, o como los azúcares que nos dan energía, son más fáciles de digerir y los aprovechamos mejor.

Cochinita pibil cocinada en hojas de plátano, acompañada de plátano macho frito y cebolla morada.

La cocción no es el único proceso por el cual se transforman los alimentos. A nuestro alrededor existen muchos organismos que pueden descomponer los alimentos. ¿Cómo podemos retardar esa descomposición?
Reflexiona y platícalo en el grupo.

Caldo de cultivo

Experimenta, observa y analiza.

Trabajen en equipo y con la ayuda de su profesor.

Materiales:
- Dos litros de caldo natural de res o pollo, colado
- Seis frascos de aproximadamente 300 ml, de vidrio, con tapa y esterilizados (hervidos en agua)
- Una parrilla eléctrica
- Una olla pequeña
- Seis etiquetas

Manos a la obra. Etiqueten sus frascos: dos con el número 1, dos con el número 2 y dos con el número 3.

Viertan en la olla una tercera parte del caldo y caliéntenla durante 5 minutos en la parrilla. Con mucho cuidado, vacíen el caldo caliente en cantidades iguales en los dos frascos marcados con el número 1 y ciérrenlos bien.

Ahora viertan en la olla la mitad del caldo restante y caliéntenla durante 10 minutos. Vacíen el caldo caliente, con precaución, en los frascos marcados con el número 2 y ciérrenlos bien.

Calienten la última porción de caldo durante 15 minutos y vacíenla en los frascos marcados con el número 3, de la misma manera que lo hicieron con los otros frascos.

Manténganlos en un lugar fresco y, conforme se vayan enfriando, escriban en las etiquetas "refrigerado" en uno de los frascos de cada par, y "no refrigerado" en los otros tres (observa las imágenes). Expongan al sol los que dicen: "no refrigerado", y metan los otros al refrigerador. Si no tienen refrigerador, pídanle a alguna persona o a su profesor que les ayude; recuerden que también existen otras opciones, como una hielera. Observen los frascos diariamente durante una semana. Hagan en su cuaderno un cuadro como el siguiente y registren los cambios en la apariencia de las diferentes muestras.

Calentados 5 minutos.

Día 1.

Calentados 10 minutos.

Día 1.

Calentados 15 minutos.

Día 1.

Recipiente	Tiempo de calentamiento (minutos)	Observaciones					
		Día 0	Día 1	Día 2	Día 3	Día 4	Día 5
1 no refrigerado	5						
1 refrigerado	5						
2 no refrigerado	10						
2 refrigerado	10						
3 no refrigerado	15						
3 refrigerado	15						

La refrigeración retarda la descomposición de los alimentos.

Analicen el contenido del cuadro que elaboraron durante la semana y contesten las siguientes preguntas.

¿Qué cambios observaron en las muestras?

_____

¿Cuáles de ellas consideran que no se pueden consumir? ¿Por qué?

_____

En las muestras que no fueron refrigeradas, ¿cómo consideran que influyó el tiempo de calentamiento en la conservación del alimento?

_____

Describan las diferencias que observaron entre las muestras refrigeradas. ¿A qué las atribuyen?

_____

Ahora comparen las muestras marcadas con el mismo número. ¿Cómo influyó la refrigeración en la conservación de las muestras?

_____

Comparen sus respuestas con las de sus compañeros. Entre todo el grupo analicen cómo ayudan en la conservación de los alimentos la cocción y la refrigeración. Escriban sus conclusiones.

_____
_____
_____
_____

La conservación de los alimentos

Al cocinar los alimentos se eliminan muchos microorganismos que los descomponen, por eso un alimento cocido se conserva en buen estado más tiempo que uno crudo.

Los microorganismos disminuyen su actividad a bajas temperaturas; por ello, cuando almacenamos los alimentos en el refrigerador su descomposición se retrasa.

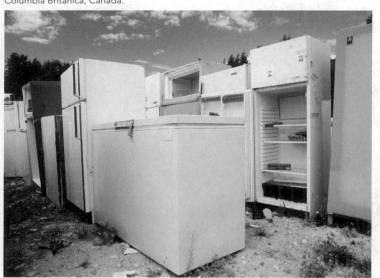

Tiradero de refrigeradores, Columbia Británica, Canadá.

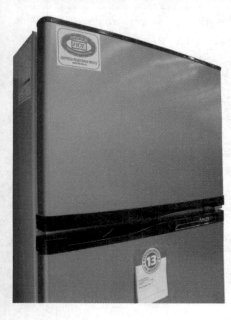

Sustitución de refrigeradores en un centro de acopio. Programa para la sustitución de refrigeradores viejos de la Secretaría de Energía.

Mario Molina (1943), químico mexicano ganador del Premio Nobel.

Un dato interesante

Uno de los primeros dispositivos para conservar los alimentos consistió en dos cajas de madera, una dentro de la otra. A la caja interior se le colocaba nieve y dentro de ella se depositaban los alimentos; por esta razón, en algunos lugares, a los refrigeradores se les conoce como neveras.

Los primeros refrigeradores se inventaron en 1927 y funcionaban con una tubería interna por la que circulaba un gas enfriador llamado freón. En la década de los setenta del siglo pasado los químicos Mario Molina (mexicano) y Sherwood Rowland (estadounidense), después de un trabajo de investigación, concluyeron que el freón es un compuesto que al llegar a la atmósfera destruye la capa de ozono (capa de la atmósfera que entre otras funciones protege a los seres vivos de los rayos solares, entre ellos los ultravioleta). Por este trabajo les otorgaron el Premio Nobel de Química en 1995. Actualmente, los refrigeradores usan otros gases que impactan menos al ambiente.

Todos los alimentos se descomponen, unos más rápido que otros. Las enzimas (proteínas especiales que ayudan en los procesos químicos y biológicos de los seres vivos) y los microorganismos producen la descomposición al intervenir en procesos físicos y químicos que transforman las sustancias que componen los alimentos. Los métodos de conservación hacen más lenta la descomposición; así se pueden mantener por más tiempo en condiciones adecuadas para su consumo.

Luis Pasteur (1822-1895).

Un dato interesante

En la actualidad es común encontrar en el mercado jugos, leche e incluso vinos y cervezas con la leyenda: "pasteurizado". Este método de conservación consiste en elevar la temperatura del producto entre 60 y 140 °C y luego bajarla muy rápido. El cambio brusco de temperatura elimina o reduce los microorganismos de tal manera que los alimentos se conservan por más tiempo.

El nombre *pasteurización* deriva del apellido del científico que descubrió este método, el francés Luis Pasteur (1822-1895).

Laboratorio donde se experimentó con la pasteurización. Galería de exhibición científica, Museo Pasteur, París, Francia.

La pasteurización permite conservar los alimentos.

Bebidas pasteurizadas: cerveza, leche y vino.

Las diferentes maneras de conservación de alimentos conocidas actualmente provienen del saber popular y del conocimiento científico y tecnológico. Cada una de ellas ha ofrecido a los seres humanos la posibilidad de mantener los alimentos frescos y saludables y de almacenarlos para consumirse después. Por ejemplo, para conservar la carne se han usado técnicas como el ahumado.

Aunque no se conoce con exactitud cuándo se comenzó a usar el ahumado, se sabe que es una técnica antigua consistente en una cocción lenta. Se lleva a cabo colgando los alimentos arriba del ahumador para que pierdan su humedad y se cuezan lentamente por medio del humo caliente.

Chiles secos.

Carne conservada por el proceso de ahumado.

Un dato interesante

En la época en que fue realizada la obra que aparece a la derecha no se había descubierto la aplicación de la electricidad en aparatos electrodomésticos ni existían los refrigeradores; por tanto, el ahumado era un método muy utilizado para conservar la carne. Este cuadro se encuentra en la ciudad de Ámsterdam.

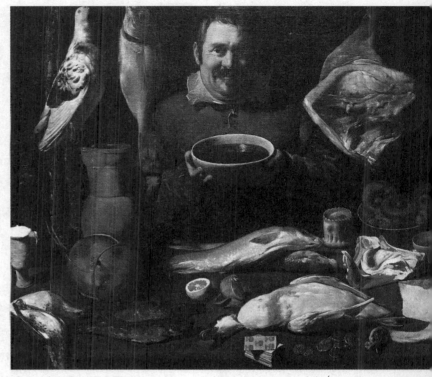

Alejandro de Loarte (ca. 1590-1626), *Cocina*, siglo XVII, Museo Nacional de Ámsterdam (100 × 122 cm).

Uvas y ciruelas frescas.

Uvas y ciruelas deshidratadas (frutos secos).

Charales: pequeños peces salados y secados al sol.

Los métodos de conservación de alimentos

Investiga y reflexiona.

En equipo, pregunten en sus hogares qué métodos de conservación de alimentos conocen. Investiguen en libros e internet desde cuándo se tiene registro de utilizar esos métodos. Busquen el año aproximado, si no existiera el dato exacto. Con esa información, elaboren una línea del tiempo ilustrada en la que ordenen cronológicamente los métodos de conservación de alimentos.

La conservación de los alimentos

Es probable que en el lugar donde vives se usen técnicas para conservar alimentos. En este proyecto investigarás acerca de estas técnicas y las llevarás a cabo. Trabaja en equipo para realizar esta propuesta.

Planeación

Decidan que método de conservación de alimentos desean realizar, qué necesitarán y cuánto tiempo les llevará cada actividad. Recuerden usar ropa adecuada y limpia, como mandiles para cocinar y evitar que las bacterias u otros microbios dañen su salud. Investiguen en diferentes fuentes como libros, revistas e internet, o pidan orientación a su profesor.

El siguiente cronograma les puede ayudar a planear su proyecto y delimitar el tiempo que les tomará efectuar cada tarea.

Tarea	Tiempo que le dedicarán
Investigar en libros, enciclopedias e internet.	
Preparar el método de conservación elegido.	
Conseguir el material.	
Realizar las medidas preventivas para evitar la presencia de agentes biológicos.	
Presentar el proyecto ante el grupo.	

Desarrollo

En los siguientes párrafos les sugerimos una propuesta para su proyecto. Preséntenlo a su maestro y entre todos revisen si es posible realizarlo.

Producto sugerido: orejones

El proceso de deshidratación es otra manera de conservar los alimentos. Los orejones son fruta deshidratada. Como su elaboración es muy sencilla, se pueden hacer en casa.

Materiales:
- Dos manzanas
- Dos peras
- Una malla mosquitera de 35 x 25 cm
- Una charola para hornear de 30 x 20 cm

- Un litro de agua
- Un limón
- 10 servilletas de papel
- Un recipiente de plástico de un litro y de boca ancha

Antes de manipular los alimentos deben lavarse bien las manos.

Es necesario lavar las frutas y desinfectarlas para luego proceder a retirar las cáscaras. Después, córtenlas en rebanadas delgadas.

Se agrega el jugo de limón al agua y se sumergen las rebanadas; luego, se retiran y se secan con una servilleta.

Coloquen las rebanadas en la charola, dejando espacio entre ellas. Cúbranlas con la malla, cuidando que no toque la fruta.

Coloquen la charola a la luz solar durante varios días, hasta que la fruta esté seca.

Comunicación

Al presentar su proyecto pueden dar a probar las frutas deshidratadas a sus compañeros de clase, expliquen cómo las hicieron y el tiempo aproximado que se pueden conservar. Recuerda que debes evitar comer en los mismos utensilios en que se prepararon las frutas deshidratadas.

Evaluación

Al realizar este proyecto podrás conocer tu desempeño en el trabajo en equipo. Es importante que reflexiones al respecto para mejorar cada vez más.

Actividad	Sí	No	A veces	¿Cómo puedo mejorar?
Escuché y valoré las opiniones de mis compañeros de equipo.	○	○	○	
Colaboré para que el proyecto se llevara a cabo como se planeó.	○	○	○	
Propuse soluciones para realizar el proyecto.	○	○	○	
Investigué en diferentes fuentes de consulta.	○	○	○	
Hice críticas constructivas a las aportaciones de mis compañeros de equipo.	○	○	○	
Realicé las actividades que me fueron asignadas.	○	○	○	
Aporté ideas creativas y útiles para realizar el proyecto.	○	○	○	

Evaluación

Para contestar lo siguiente será necesaria toda tu atención. Concéntrate en cada pregunta y escribe la respuesta en el espacio correspondiente. Verifica con tu profesor y tus compañeros que la respuesta sea la adecuada; si no es así, lee de nuevo la sección del libro donde se encuentra el tema, subraya la respuesta y vuelve a contestar la pregunta.

1. De acuerdo con lo revisado en este bloque,
    escribe el estado físico de los siguientes materiales:

    1. Arena _____

    2. Aire _____

    3. Aceite _____

2. Completa los siguientes enunciados.

    Al calentar mantequilla, ésta pasa del estado _____ al _____ y a este proceso se le llama _____ .

    Dentro del ciclo del agua podemos observar los tres estados de la materia, relaciónalos.

    La evaporación sucede en el ciclo del agua, cuando _____

    La solidificación se aprecia en el ciclo del agua, cuando _____

    La fusión se observa en el ciclo del agua, cuando _____

3. Lee lo siguiente.

    Gustavo y Humberto, dos buenos amigos, salen de excursión en un viaje que durará tres días. Humberto lleva carne seca y salada, mientras que Gustavo lleva un litro de leche ultrapasteurizada.

    ¿A cuál de los dos amigos se le descompondrá más pronto su alimento?

    _____

    En caso de ir de excursión, ¿cuál de los dos alimentos hubieras seleccionado tú y por qué?

    _____

Autoevaluación

Es momento de revisar lo que has aprendido en este bloque. Lee cada enunciado y marca con una ✓ el nivel que hayas logrado. Así podrás reconocer tu desempeño al realizar el trabajo en equipo y de manera personal.

	Siempre	Lo hago a veces	Difícilmente lo hago
Reconozco los estados físicos de los materiales que utilizo.	○	○	○
Relaciono los cambios de estado físico de los materiales con la temperatura.	○	○	○
Describo el ciclo del agua y explico su importancia.	○	○	○
Entiendo por qué se deben cocinar los alimentos.	○	○	○
Explico cómo se pueden conservar algunos alimentos.	○	○	○

¿En qué otras situaciones puedo aplicar lo que aprendí en este proyecto?

_____

_____

	Siempre	Lo hago a veces	Difícilmente lo hago
Participé de manera colaborativa en las actividades del proyecto.	○	○	○
Expresé curiosidad e interés en plantear preguntas y buscar respuestas para el proyecto.	○	○	○

Me propongo mejorar en:

_____

_____

Ahora dedica unos minutos para pensar en tu desempeño durante este bloque y contesta las siguientes preguntas:

¿Qué temas se me dificultaron? _____

¿Qué actividades me costaron más trabajo? _____

¿Las pude terminar? _____

¿Qué hice para lograrlo? _____

¿Qué efectos produce la interacción de las cosas?

ÁMBITOS:
- EL CAMBIO Y LAS INTERACCIONES
- EL AMBIENTE Y LA SALUD
- EL CONOCIMIENTO CIENTÍFICO

Chihuahua, México.

Durante el desarrollo de este tema, elaborarás conclusiones acerca del cambio en la trayectoria de la luz al reflejarse o refractarse en algunos materiales.

Asimismo, explicarás algunos fenómenos del entorno a partir de la reflexión y la refracción de la luz.

La parte superior del pez se observa distorsionada por el efecto de la refracción de la luz.

La imagen del pescador se refleja en el lago.

Reflexión y refracción de la luz

Reflexión de la luz

Cuando te paras frente a un espejo puedes mirarte en él. Pero éste no es el único objeto en el que puedes ver tu imagen reflejada; esto también ocurre en ventanas o puertas de vidrio, en la superficie del agua y en burbujas de jabón. ¿Dónde más se refleja tu imagen? ¿Qué es lo que hace que se refleje tu imagen sobre esas superficies?

¿Cómo se refleja la luz?

Observa, interpreta y explica.

Lleva a cabo las siguientes experiencias con tu equipo de trabajo.

Materiales:

- Cartulinas, papel, cartoncillo o tela de color negro
- Cinta adhesiva
- Una linterna
- Un espejo de 30 x 30 cm
- Tres hilos de 2 m cada uno
- Una hoja de papel
- Una lámina u hoja de aluminio de 30 x 30 cm
- Una botella de vidrio y una de plástico
- Dos tubos de cartón
- Un transportador

Con el transportador medimos los ángulos de incidencia y de reflexión.

Manos a la obra. Tapen las ventanas de su salón con el papel o la tela de color negro para que quede oscuro.

Coloquen el espejo en forma vertical sobre la mesa o escritorio.

En el centro de la base del espejo peguen con cinta adhesiva uno de los extremos de cada hilo.

Dos de los integrantes del equipo sujetarán cada uno de los extremos de dos hilos para formar una V. El tercer hilo quedará al centro sujetado por un alumno, quien deberá mantenerlo tenso en un ángulo de 90° respecto al espejo.

Mantengan todos los hilos tensos sobre la superficie de la mesa.

Prendan la lámpara y dirijan la luz hacia el espejo, siguiendo uno de los hilos que forman la V.

El otro hilo, muévanlo hacia la luz que sale del espejo.

Con el transportador midan el ángulo que se forma entre la línea del centro y la luz que llega al espejo y el ángulo que forma la luz al salir del espejo. Registren los resultados en la siguiente tabla.

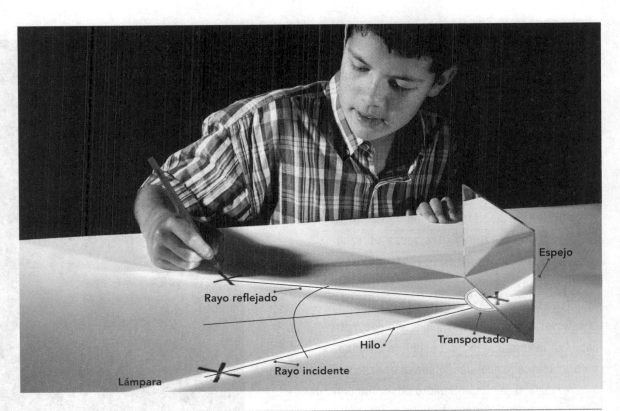

Material	Ángulo de llegada	Ángulo de reflexión
Espejo	1	
	2	
	3	
Papel		
Aluminio		
Plástico		
Vidrio		

Abran y cierren el ángulo que forma la V y mídanlo en cada caso con el transportador, como en el ejemplo anterior.

Comparen los datos de sus mediciones con el espejo. ¿Cómo son? _____

_____

Hagan lo mismo con la hoja de papel, la lámina de aluminio y las botellas de plástico y de vidrio (recuerda sustituir cada objeto por el espejo), y completen en la tabla los ángulos de llegada y de salida.

Comparen las medidas de los ángulos registrados.

Contesten las siguientes preguntas:
¿En cúales objetos la luz se comportó igual? ____

¿En cuáles no? ¿Por qué?_____

_____

Observen a su alrededor e identifiquen en qué otros objetos puede suceder lo mismo que ocurrió en el espejo. ¿Qué características tienen esos objetos?

_____

_____

_____

_____

Un dato interesante

La fibra óptica consta de un conjunto de filamentos de material transparente, vidrio o plástico, flexible y tan delgado como un cabello humano. Es resistente a cambios en la temperatura, la humedad, el calor o el frío. Consta de dos tubos: uno interno, donde se transmite información en forma de luz que se refleja totalmente una y otra vez, y un tubo externo que recubre los filamentos y evita la pérdida de luz. Las fibras ópticas se utilizan ampliamente en telecomunicaciones, como en la televisión y el internet; para uso decorativo, como en la iluminación del árbol de navidad, y en aparatos especiales, como el endoscopio, que permite al médico cirujano observar dentro del cuerpo humano algún órgano, mediante una pequeña abertura.

Fibra óptica.

Fibra óptica utilizada en medicina.

La luz es una forma de energía. Gracias a ella puedes ver tu imagen reflejada en un espejo, en la superficie del agua o en un piso muy brillante. Esto se debe a un fenómeno llamado reflexión de la luz. La reflexión ocurre cuando los rayos de luz que inciden en una superficie chocan en ella, se desvían y regresan al medio del que salieron formando un ángulo igual al de la luz incidente, como se muestra en la figura siguiente.

Los espejos reflejan la mayor parte de la luz incidente.

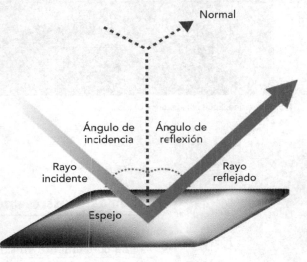

Reflexión de la luz.

De acuerdo con sus características, todos los materiales reflejan la luz en mayor o menor proporción; nosotros percibimos la luz reflejada en ellos y por eso podemos verlos.

Los espejos reflejan la mayor parte de la luz incidente; los objetos opacos, como la moneda, la madera y el plástico, reflejan poca luz. ¿Por qué es más difícil ver los objetos en la noche que en el día?

Reflejo de árboles sobre un lago.

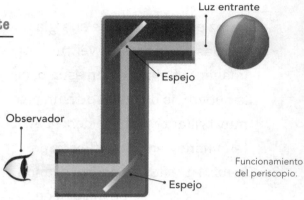

Un dato interesante

El fenómeno de la reflexión de la luz se utiliza en el periscopio, un tubo que tiene espejos en su interior. Con este instrumento, la tripulación de un submarino que navega en el mar puede ver lo que sucede por encima de la superficie del agua aun cuando se encuentre sumergido.

Luz entrante

Espejo

Observador

Luz reflejada

Espejo

Funcionamiento del periscopio.

Espectadores con periscopios, 1939, Londres.

Submarino, Louisville, Estados Unidos.

Un dato interesante

Es conveniente pintar con colores claros las paredes de los espacios interiores porque así reflejan más la luz, que si se pintaran con un color oscuro. De esa manera se reduce el consumo de electricidad, ya que se aprovecha durante más tiempo la luz natural.

El color blanco refleja más luz; en cambio el color negro, la absorbe.

Refracción de la luz

Observa las siguientes imágenes.
¿Alguna vez has notado que parece que
se acortan las piernas de una persona
parada en una alberca? ¿Por qué crees
que sucede esto?

Una gota de agua es un lente natural que
refracta la luz y distorsiona la imagen.

La gota de agua hace la función de un
lente de aumento.

Los barrotes de la silla
se distorsionan a través
del agua por efecto de la
refracción.

La imagen se corta por
efecto de la luz.

¿Se corta el lápiz?

Observa, describe e interpreta.

Formen equipos para trabajar.

Materiales:
- Un vaso transparente de vidrio
- Dos lápices
- Un poco de agua

Manos a la obra. Viertan agua en el vaso hasta la mitad de su capacidad e introduzcan uno de los lápices. Sostengan el otro lápiz fuera del vaso, en la misma posición que el otro que está dentro.

Obsérvenlos con atención desde diferentes ángulos y contesten las siguientes preguntas.

¿Cómo se ven la parte del lápiz que está dentro del agua y la que está fuera? _____

_____

¿Qué diferencia notan con el lápiz que está fuera del vaso? _____

_____

Dibujen en su cuaderno todas sus observaciones.

Los lápices que se muestran en la imagen atraviesan un medio gaseoso y uno líquido, y por efecto de la refracción de la luz pareciera que están cortados.

Los binoculares amplían la imagen de los objetos distantes.

Cuando los rayos de luz inciden sobre la superficie de un cuerpo transparente, por ejemplo el agua, una parte de ellos se refleja, mientras que la otra se refracta. La refracción es el cambio de dirección que toman los rayos de luz al pasar de un medio a otro, por ejemplo, del gaseoso al líquido. Al introducir un lápiz en un vaso con agua parece que se dobla o se corta, porque los rayos de luz se desvían, ya que viajan más lento al pasar del aire, donde existen menos partículas, al agua, donde hay más.

Los lentes son un ejemplo de la aplicación de la refracción. Se usan en la fabricación de algunos objetos, como los anteojos, las lupas, las cámaras de video y los telescopios.

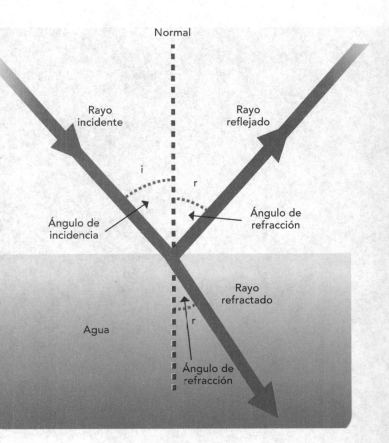

Refracción de la luz.

Los lentes de los anteojos son un ejemplo de la aplicación de la refracción de la luz.

La lupa aumenta las imágenes por efecto de la refracción de la luz.

Durante el desarrollo de este tema, describirás algunas formas de electrizar los materiales que se encuentran a tu alrededor.

Asimismo, obtendrás conclusiones de la electrización de objetos, con base en el efecto producido y el material del que están hechos.

El cabello, así como el pelaje de los animales, se separa y repele entre sí porque hay acumulación de cargas eléctricas del mismo signo (electricidad estática).

TEMA 2

Electrización de materiales

A veces, especialmente cuando el clima está seco, al peinarte con un peine de plástico se puede observar que del cabello saltan pequeñas chispas, a la vez que se escuchan chasquidos; además, el pelo es atraído por el peine. Lo mismo sucede con algunas prendas al frotarlas: despiden chispas y chasquidos. En otras ocasiones, al tocar un objeto metálico o a una persona sientes un toque. Alguna vez te has preguntado, ¿por qué ocurren estos fenómenos?

Chispas producidas por la fricción entre la suela del zapato y la alfombra.

¿Se atraen o rechazan?

Observa, analiza y explica.

Materiales:
- Un globo mediano
- Una bolsa de plástico
- Una hoja de papel cortada en trozos pequeños
- Un poco de agua

Manos a la obra. Formen equipos para trabajar. Inflen el globo y háganle un nudo. Acerquen el globo a los pedacitos de papel. ¿Qué observan?

_____

Ahora, froten el globo con el cabello seco de algún compañero y acérquenlo a los pedacitos de papel. ¿Qué ocurre?

_____

Acerquen la bolsa de plástico a los pedacitos de papel. ¿Qué sucede?

_____

Froten nuevamente el globo con el cabello y aprox ímenlo a la bolsa de plástico. Anoten sus observaciones.

_____

Ahora, acerquen la bolsa de plástico a los pedacitos de papel. Describan lo que sucede.

_____

Froten nuevamente el globo con el cabello e intenten pegarlo a la pared del salón. Anoten sus observaciones.

_____

Mojen el globo con un poco de agua y acérquenlo nuevamente a los pedacitos de papel. ¿Qué ocurre?_____

¿Qué propiedad adquirió el globo cuando lo frotaron con el cabello?_____

_____

En la actividad anterior observaste que al frotar el globo con el cabello adquiere la propiedad de atraer cuerpos; por ello, los pedacitos de papel y la bolsa se adhieren a él. A este fenómeno se le llama electrización e involucra una forma de energía. Cuando el globo se moja pierde esta propiedad.

Formas de electrizar un cuerpo

Tales de Mileto (639-546 o 547 a. C.), filósofo griego, descubrió que al frotar el ámbar –una resina de árbol endurecida– en sus prendas de algodón, podía atraer cuerpos ligeros como semillas de pasto. Ámbar en griego se dice *elektron*, por eso a esta propiedad se le llamó electricidad.

Ámbar. Resina de origen vegetal producida por algunos troncos de árboles para su protección y que se endurece con el paso del tiempo.

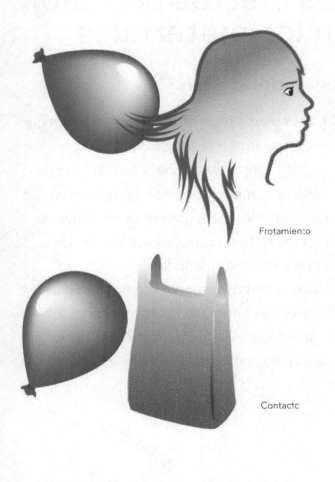

Frotamiento

Contacto

La electricidad se encuentra a nuestro alrededor, eso lo demuestran las chispas que desprenden nuestras prendas de vestir, los relámpagos que se producen durante una tormenta o la atracción que ejerce un globo cuando lo frotas con tu cabello o con una prenda.

La electrización de un cuerpo se logra mediante frotamiento, contacto o inducción:

- Frotamiento. Como su nombre lo indica, ocurre al frotar un cuerpo con otro. Por ejemplo, cuando frotaste el globo con el cabello.
- Contacto. Cuando un cuerpo ya electrizado toca a otro y le transfiere esta propiedad. Por ejemplo, cuando tocaste el globo electrizado con la bolsa de plástico.
- Inducción. En este caso no hay contacto entre objetos, ocurre a distancia cuando se aproxima un cuerpo electrizado a otro. Por ejemplo, cuando acercaste el globo y la bolsa de plástico a los pedacitos de papel.

Inducción

Durante el desarrollo de este tema, reconocerás algunas formas de generar calor y su importancia en la vida cotidiana.

Asimismo, describirás algunos efectos del calor en los materiales y su aprovechamiento en diversas actividades.

◼◼◼ TEMA 3

Los efectos del calor en los materiales

Generación de calor

¿Por qué cuando hace mucho frío es común que las personas froten sus manos?

Desde tiempos antiguos la humanidad ha buscado la manera de sobrevivir aprovechando los recursos naturales para obtener alimento, protegerse de las condiciones ambientales y tener una vida más cómoda.

Hace aproximadamente medio millón de años nuestros antepasados comenzaron a utilizar el fuego. Es posible que entonces lo usaran de incendios naturales causados por los rayos.

Herramientas primitivas para producir fuego.

Con el paso del tiempo aprendieron a producir fuego por fricción al frotar trozos de madera con rapidez. En esa época utilizaban el fuego para protegerse de los animales, alumbrarse y cocer sus alimentos.

Aproximadamente en el 2500 a. C., utilizando el fuego, el ser humano comenzó a extraer metales de los minerales para elaborar armas y utensilios.

La motocicleta de vapor con turbina funcionaba con fuego. Fue inventada en Alemania en 1818.

Ya en nuestra era, en el siglo XVIII, el ser humano usó por primera vez el vapor generado por fuego para mover maquinaria, lo que dio origen al periodo histórico conocido como Revolución Industrial.

El calor genera movimiento

Comparen, clasifiquen y discutan.

Completen la siguiente tabla señalando con una ✔ en cada fenómeno, si la fricción entre dos superficies representa una ventaja o desventaja. Investiguen cómo se podría disminuir el efecto de la fricción.

Fenómeno	Ventajas	Desventajas
Desgaste de la suela de los zapatos		
Rodar una pelota y que se detenga		
El rechinar de una puerta		
Caminar		
Cepillarse los dientes		
Desintegración de un meteorito al entrar en contacto con la atmósfera de la Tierra		
Frotarse las manos		
Obtención de fuego para calentar la comida		

Discutan y expliquen brevemente por qué ocurre cada fenómeno.

El calor genera movimiento

Experimenta y analiza.

Con tu equipo de trabajo realiza la siguiente actividad.

Materiales:

- Una hoja de papel de 15 × 15 cm
- Un trozo de papel aluminio de 15 x 15 cm
- Unas tijeras
- 30 cm de hilo
- Una vela
- Cerillos

Manos a la obra. Dibujen en la hoja un círculo de aproximadamente 14 cm de diámetro y recórtenlo.

Dibujen una espiral del centro del círculo al borde, como se muestra en la figura.

Recorten el círculo siguiendo la línea dibujada.

Coloquen la vela sobre una mesa.

Con el hilo, amarren la espiral por el centro y cuélguenla de tal manera que la parte inferior quede a una distancia aproximada de 10 cm de la vela.

Con ayuda de un adulto, enciendan la vela. Cuiden que el papel no se queme. Observen qué sucede y escríbanlo a continuación.

_____
_____
_____

Repitan el mismo experimento, pero ahora con papel aluminio.

¿Qué sucede?

_____
_____

El principio básico de la máquina de vapor se aplicó para mover barcos y trenes al inicio de la Revolución Industrial.

El calor y sus efectos

El calor también sirve para generar movimiento. Por ejemplo, en la actividad anterior la llama de la vela calienta el aire y produce una corriente que hace girar la espiral; es una forma de energía.

Durante la Revolución Industrial se inventaron distintas máquinas que funcionaban con el vapor producido al calentar agua. Una de las máquinas más representativas de esta época fue la locomotora que funcionaba con vapor.

Eolípila. Dispositivo que genera movimiento con la fuerza del vapor.

La ciencia y sus vínculos

En el año 75 a. C., Herón de Alejandría inventó un dispositivo que se llenaba de agua y al calentarlo el vapor salía por unas aberturas, lo que lo hacía girar. Sin embargo, fue apenas en el año 1700 cuando se le dio una aplicación práctica al vapor. Denis Papin, físico francés, inventó la marmita —una especie de olla exprés— y un motor de vapor que usó para movilizar un barco. A medida que el ser humano incrementó sus conocimientos y mejoró la tecnología, sustituyó las máquinas de vapor por motores que usan gasolina y electricidad. ▮▮

Denis Papin (1647-1712).

Barco de vapor de Jonathan Hulls, siglo XVIII.

Dilatación

El calor no sólo genera movimiento, también produce cambios en los materiales. En el bloque anterior aprendiste que los materiales cambian de estado físico al aplicarles calor, y que las propiedades de los alimentos se modifican al cocinarlos. Otro de los efectos del calor es la dilatación, que es el aumento de tamaño de un material al calentarse. Por ejemplo, en las banquetas existe una pequeña ranura y en las vías del tren un espacio entre los rieles; esto evita que al dilatarse los materiales choquen y se fracturen. También, gracias a la dilatación del mercurio podemos medir la temperatura con los termómetros que lo contienen.

Metal en estado líquido. El mercurio se dilata y expande con el calor, por eso se usa en algunos termómetros.

Construcción de juguetes

¿Cómo funciona un caleidoscopio y cómo podemos construirlo?

¿Cómo aprovechar la electrización para jugar moviendo objetos pequeños?

En equipo, lleven a cabo una investigación sobre cómo elaborar algunos juguetes o aparatos utilizando las propiedades de la luz y la electrización que conocieron en este bloque; pueden construir un caleidoscopio o un electroscopio, entre otros objetos.

Planeación

Decidan qué juguete construirán. Después, analicen cuáles materiales son más convenientes y cuánto tiempo les llevará cada actividad. Asignen distintas funciones a cada miembro del equipo.

Investiguen en diferentes fuentes, como libros, revistas e internet, y pidan orientación a su profesor.

El siguiente cronograma les puede ayudar a planear su proyecto; complétenlo según las necesidades particulares de éste.

Tarea	Tiempo que le dedicarán
Investigar en libros, enciclopedias e internet	
Conseguir el material	
Elaborar el juguete	
Presentar el proyecto ante el grupo	

Se sugiere que para elaborar sus juguetes organicen un taller en el que puedan participar sus padres. Recuerden preferir materiales de reúso, reciclados y de fácil adquisición.

Desarrollo

Una vez que hicieron la investigación, construyan su juguete. A continuación se sugieren dos, pero recuerden que pueden elaborar el que ustedes quieran.

Juguete 1. Caleidoscopio

Materiales:
- Un cartón de 16 × 13 cm
- Un lápiz
- Unas tijeras
- Una regla
- Pegamento
- Un pliego de papel de china
- Cinta adhesiva
- Papelitos u objetos pequeños de colores (confeti)
- Papel negro o un plumón de color negro
- Un trozo de papel aluminio
- Un trozo de papel celofán o plástico

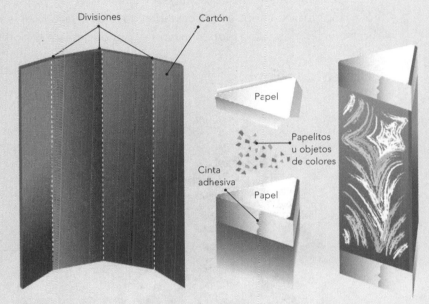

Con el lápiz y la regla hagan tres marcas cada 4 cm en los dos lados más largos del cartón. Tracen tres líneas uniendo las marcas de cada lado que se corresponden, de modo que el cartón quede dividido en cuatro partes iguales.

Doblen el cartón siguiendo las líneas.

Cubran tres partes del cartón con el papel aluminio, que quede lo más liso posible, y dejen la cuarta parte sin nada.

Doblen el cartón para formar un tubo triangular. El papel aluminio debe quedar en el interior. Peguen la parte restante con pegamento o cinta adhesiva para mantenerla fija.

Peguen un pedazo de plástico o de papel celofán transparente en ambos extremos del caleidoscopio.

Coloquen los pedacitos de colores u objetos sobre el plástico de uno de los extremos y cúbranlos con papel de china, de tal manera que quede un espacio para que se puedan mover los papelitos u objetos. Fijen el papel de china con la cinta adhesiva.

Miren por el caleidoscopio del lado que no tiene el papel de china y colóquenlo hacia la luz (no directo al Sol), y gírenlo.

Juguete 2. Confeti saltarín

Materiales:

- Una botella de plástico vacía, limpia, seca y con tapa
- Confeti o bolitas de unicel
- Un clip metálico

Introduzcan el confeti en la botella y ciérrenla.

Froten rápido sus manos en los costados de la botella. Observen lo que sucede.

Abran un clip metálico y toquen el confeti por encima de la botella. Observen lo que sucede.

Comunicación

Pueden organizar una feria en la que presenten su juguete.

Realicen un cartel de la siguiente manera: redacten un texto en el que expliquen el funcionamiento de su juguete, cómo lo hicieron, qué materiales usaron y qué propiedad de la luz se manifiesta o si interviene la electrización. Incluyan los datos de las fuentes bibliográficas (libros, revistas, periódicos o internet) que utilizaron. Peguen la información sobre una cartulina e ilústrenla. Coloquen el cartel en la pared.

Presenten su juguete a la comunidad escolar; la idea es que los asistentes jueguen con él y conozcan su funcionamiento al leer el cartel. Resuelvan las dudas que surjan.

Evaluación

Al realizar este ejercicio podrás conocer tu desempeño en el trabajo en equipo.
Es importante que reflexiones al respecto para mejorar cada vez más.

	Sí	No	A veces	¿Cómo puedo mejorar?
Propuse ideas para elaborar el proyecto.	○	○	○	
Apliqué mis conocimientos acerca de las características de los materiales en el desarrollo del proyecto.	○	○	○	
Seleccioné los materiales más adecuados para construir un caleidoscopio o un juguete de confeti saltarín.	○	○	○	
Evalué los procesos empleados y los productos obtenidos.	○	○	○	
Compartí sugerencias y escuché las de mis compañeros.	○	○	○	
Comprendí y expliqué el funcionamiento del dispositivo que ayudé a construir.	○	○	○	

Evaluación

Concéntrate en cada pregunta y escribe la respuesta en el espacio correspondiente. Verifica con tu profesor y compañeros tu respuesta. Si es incorrecta, lee de nuevo la sección del libro donde se encuentra el tema; subraya la respuesta y vuelve a contestar la pregunta.

1. Responde lo que sigue:

   ¿Qué sucede con la luz al incidir en un cartoncillo, en un cuerpo de agua y en un vidrio?

   _____
   _____

   Explica si los ángulos de incidencia y reflexión son siempre iguales en un espejo.

   _____
   _____

2. Elige una de las imágenes de la página 109 y explica el efecto de la luz en ella.

   _____
   _____

3. Utiliza un ejemplo para contestar la siguiente pregunta.

   ¿Cómo se genera movimiento a partir del calor?

   _____

Autoevaluación

Es momento de revisar lo que has aprendido en este bloque. Lee cada enunciado y marca con una ✓ el nivel que hayas logrado. Así, podrás reconocer tu desempeño al realizar el trabajo en equipo y de manera personal.

	Siempre	Lo hago a veces	Difícilmente lo hago
Explico algunos fenómenos del entorno a partir de la reflexión y la refracción de la luz.	○	○	○
Reconozco algunas formas de generar calor y su importancia en la vida cotidiana.	○	○	○

¿En qué otras situaciones puedo aplicar lo que aprendí en este proyecto?

_____

_____

	Siempre	Lo hago a veces	Difícilmente lo hago
Contribuí con información para el trabajo en equipo.	○	○	○
Escuché con atención y respeto a mis compañeros.	○	○	○
Tomé en cuenta las propuestas de trabajo de mi equipo.	○	○	○

Me propongo mejorar en:

_____

_____

Ahora dedica unos minutos para pensar en tu desempeño durante este bloque y contesta las siguientes preguntas:

¿Qué temas se me dificultaron? _____

¿Qué actividades me costaron más trabajo? _____

¿Las pude terminar? _____

¿Qué hice para lograrlo? _____

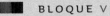

BLOQUE V

¿Cómo conocemos?

ÁMBITOS:
- EL CAMBIO Y LAS INTERACCIONES
- LA TECNOLOGÍA
- EL CONOCIMIENTO CIENTÍFICO

Región central
de la Vía Láctea.

Durante el desarrollo de este tema, explicarás la formación de los eclipses y la secuencia del día y la noche a partir del movimiento de la Tierra y la Luna.

Asimismo reconocerás cómo las explicaciones del movimiento de la Tierra respecto al Sol han cambiado a lo largo de la historia.

TEMA 1

Los movimientos de la Luna y la Tierra

Arriba y abajo: el Sol, la Tierra y la Luna

Una noche estrellada es un espectáculo natural que ha fascinado a los seres humanos desde la antigüedad. Sin embargo, es probable que alguna vez, mientras observabas los astros, te hayas preguntado ¿por qué no podemos observar al Sol durante la noche? ¿A qué se debe que existan el día y la noche? ¿Cómo se desarrollan los eclipses?

Comenta con tus compañeros lo que sabes acerca de estos temas.

El Sol con luz propia.

Estrella enana blanca.

¿Son iguales todos los astros que hay en el cielo?

En una noche despejada podemos observar los astros. No todas las "estrellas" que vemos lo son propiamente; algunas son planetas cercanos a la Tierra que reflejan la luz del Sol. A simple vista, podemos distinguir los planetas de las estrellas porque los primeros no centellean.

El Sol es un astro que emite calor y luz propios. Es la estrella más cercana a nuestro planeta, por lo que durante el día su luz predomina y no permite que veamos las otras estrellas.

Alrededor del Sol giran ocho planetas y otros astros; a este conjunto se le llama sistema solar. Dentro de él, en tercera posición a partir del Sol, se encuentra la Tierra, el planeta donde habitamos. Su forma es ovoide: esfera ligeramente achatada en los polos y ensanchada en el ecuador.

La Tierra sólo tiene un satélite natural: la Luna, un cuerpo de menor tamaño que gira alrededor de ella y refleja la luz solar, cuya forma parece variar dependiendo de su ubicación.

Planetas del sistema solar en la misma proporción.

La Tierra y la Luna, imagen tomada por astronautas desde el espacio.

Despegue del cohete espacial *Apolo XI*.

Un dato interesante

"Houston... aquí base Tranquilidad, el Águila ha alunizado." Éstas fueron las palabras que pronunció el astronauta Neil Armstrong cuando, junto con Edwin Eugene Aldrin Jr., mejor conocido como *Buzz*, llegaron a la Luna en la nave espacial que piloteaba Armstrong, el 20 de julio de 1969, según datos de la NASA (Administración Nacional de Aeronáutica y del Espacio, de Estados Unidos). La misión se llamó *Apolo XI*.

Ambos astronautas vivieron momentos de gran nerviosismo, pues cuando sólo les quedaba combustible para 30 segundos hallaron el Mar de la Tranquilidad y lograron alunizar. Unos instantes más tarde, Neil Armstrong bajó por las escaleras del módulo y se convirtió en el primer ser humano en pisar la Luna. Emocionado comentó: "Éste es un pequeño paso para el hombre, pero un salto gigante para la humanidad". ¡Qué momento!, una persona había pisado la superficie de la Luna.

De acuerdo con la NASA, el 21 de julio acabó la aventura sobre la superficie de nuestro satélite. Durante esta misión los astronautas instalaron en la Luna instrumentos que servirían para enviar información a nuestro planeta. Al concluir, trajeron a la Tierra muestras de rocas lunares y fotografías. La última misión se llevó a cabo en 1972 y se llamó *Apolo XVII*.

Edwin Eugene Aldrin en la Luna, durante la misión *Apolo XI*. La fotografía fue tomada por su compañero Neil Armstrong.

Coatlicue, diosa azteca de la tierra (350 × 130 cm).

140 cm

El enigma de lo que ocurre en el cielo: dioses y pensamiento

Los seres humanos siempre hemos sentido curiosidad por conocer más sobre la Tierra, el Sol y la Luna. Imagínate lo que pensaban las personas de la antigüedad cuando las montañas parecían devorar al Sol o cuando en el horizonte éste desaparecía misteriosamente y a la mañana siguiente de nuevo surgía en un lugar diferente al que se había ocultado. ¿Cómo entender lo que sucedía ante sus ojos? Cada cultura elaboró mitos para explicar los movimientos de la Tierra, el Sol y la Luna, por ejemplo, el siguiente relato:

[…] en Coatepec, una bola hecha de plumas fecundó a Coatlicue. Coyolxauhqui y los Centzon Huitznahua, que eran sus hermanos, mucho se enojaron y quisieron evitar que Huitzilopochtli naciera; entonces acordaron atacar a Coatlicue. Huitzilopochtli nació y con una serpiente de fuego en la mano persiguió y aniquiló a sus hermanos los Centzon Huitznahua; sólo unos cuantos pudieron escapar, se llaman los 400 surianos porque se dirigieron hacia el sur. A Huitzilopochtli lo veneraban los mexicas, lo honraban y servían.

(Adaptado del *Códice Florentino*, libro III, capítulo I. Traducción del náhuatl de Miguel León-Portilla.)

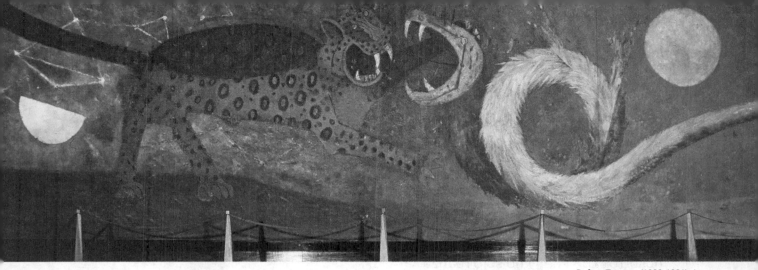

Rufino Tamayo (1899-1991), *La serpiente y el jaguar*, mural (353 × 1221 cm), Museo Nacional de Antropología, México.

Los mexicas representaron y explicaron con un mito el nacimiento de Huitzilopochtli, sol del amanecer y del mediodía, señor y dios de la guerra, a quien adoraban y rendían culto. Los 400 surianos representaban a las estrellas y Coyolxauhqui a la Luna. Huitzilopochtli, armado con una serpiente de fuego, tenía una batalla a diario con la Luna y las estrellas; cuando las vencía, el Sol brillaba de nuevo.

Ilustración que representa un temblor de Tierra y un eclipse. *Códice Telleriano-Remensis.*

Un dato interesante

En los códices de la cultura mexica se nombra al Sol y a la Luna de distintas maneras.

El nombre más común del Sol era Tonatiuh o Tonatiuhtzin; también se le llamaba Xihuhpilli (príncipe del fuego). Según Michel Graulich, Quetzalcóatl (Sol de la cuarta era) y Tezcatlipoca (Sol de la quinta era) se alternaban el papel del Sol. Para la Luna se encontraron las denominaciones Coyolxauhqui, Metztli y Metztzin.

Algunos pueblos, como los babilonios, propusieron que la Tierra era el centro del universo y que el Sol y los demás cuerpos celestes se movían alrededor de ella; así explicaban el día y la noche. Si lo meditas un poco, es fácil llegar a esta conclusión, pues durante el día percibimos que el Sol se mueve.

Los cambios: ¿qué ocurre en el cielo?

Aunque estés quieto, te mueves. Quizá no lo sientas, pero la Tierra siempre está en movimiento y nosotros con ella; y no sólo realiza un movimiento, sino dos a la vez.

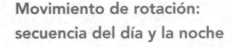

Movimiento de rotación: secuencia del día y la noche

Observa el dibujo de la Tierra en la siguiente página. Nuestro planeta está inclinado, así como sucede con el trompo en algunos momentos de cada giro. Al moverse, la Tierra también gira sobre sí misma alrededor de un eje de rotación terrestre. A este movimiento se le llama rotación. Los puntos por donde pasan los extremos del eje de rotación terrestre se conocen como polos: el polo norte y el polo sur.

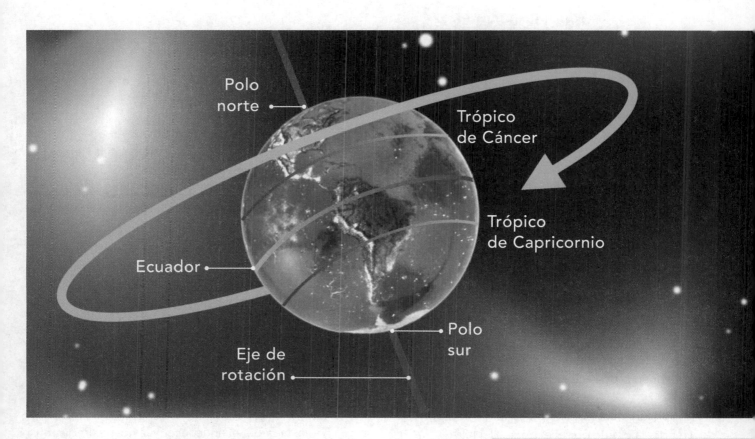

Polo norte

Trópico de Cáncer

Trópico de Capricornio

Ecuador

Polo sur

Eje de rotación

Aunque nosotros no sentimos el movimiento de rotación de la Tierra, aun cuando lo hace a una gran velocidad, de aproximadamente 0.5 kilómetros por segundo (km/s), sí percibimos uno de sus principales efectos. Averigua cuál es al realizar la siguiente actividad junto con tu equipo de trabajo.

Toma en cuenta que por la rotación, desde nuestro planeta, se percibe que durante el transcurso de la noche las estrellas se mueven en el cielo.

El tiempo que tarda la Tierra en dar una vuelta completa sobre sí misma se conoce como día, y tiene una duración aproximada de 24 horas. Vamos a investigar qué pasa en diferentes regiones de la Tierra durante este movimiento.

¡Qué baile tan elegante!

Observa, compara y analiza.

Materiales:
- Un lápiz
- Un trompo, una pirinola o una taparrosca de refresco y un palillo de dientes
- Un compás
- Lápices de colores
- Pegamento blanco

Formen equipos para trabajar. En caso de no tener un trompo o pirinola, pueden hacerlo como a continuación se indica: con la punta del compás hagan una perforación en el centro de la taparrosca, pasen por ahí el palillo de dientes y fíjenlo con pegamento blanco.

Hagan girar el trompo sobre una superficie lisa; en el caso de la taparrosca, cuiden que la parte abierta quede hacia arriba.

¿Cuál es su eje de rotación? Para contestar esta pregunta comparen la imagen de esta página y el movimiento del trompo.

El día y la noche

Observa, analiza y comunica.

Cuando en México es de día, ¿en la India será de día o de noche?

Materiales:
- Una pelota mediana, más o menos del tamaño de un balón de voleibol
- Un planisferio
- Una linterna
- 10 cm de hilo de cáñamo
- Cinta adhesiva

Manos a la obra. Recorten los continentes del planisferio y péguenlos sobre la pelota.

Con la cinta adhesiva, fijen un extremo del hilo en el lugar donde se ubica el polo norte.

Marquen la ubicación de nuestro país y el de la India.

En un lugar oscuro, una persona del equipo sostendrá la pelota por el extremo del hilo, dejando que cuelgue; y otra, alumbrará la pelota con la lámpara a dos metros de distancia.

Giren lentamente la Tierra hacia la derecha. ¿Cuál es el eje de rotación?

_____

En su modelo, ¿qué representa la linterna?

_____

Por la iluminación que recibe, cuando el continente americano está frente a la luz de la linterna, ¿en nuestro país es de día o de noche?

_____

Den media vuelta a la pelota, en el sentido indicado antes. Por la iluminación que recibe, ahora en la república mexicana es de:

_____

Expliquen cuándo suceden el amanecer, el día, la tarde, el anochecer y la noche. Registren en su cuaderno sus observaciones.

Ahora respondan la pregunta planteada al inicio de la actividad. Cuando en México es de día, ¿en la India es de día o de noche?

_____

_____

Cuando en América es de día, ¿cómo será en Europa?

Cuando en Europa es de día, ¿cómo será en América?

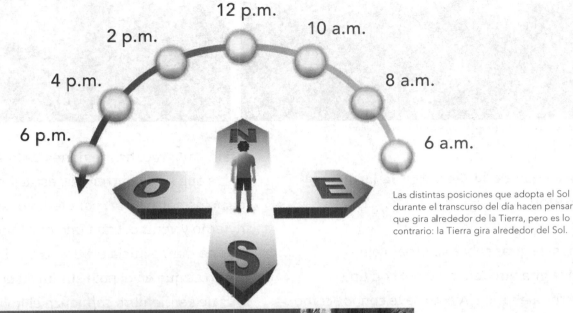

12 p.m.

2 p.m.

10 a.m.

4 p.m.

8 a.m.

6 p.m.

6 a.m.

Las distintas posiciones que adopta el Sol durante el transcurso del día hacen pensar que gira alrededor de la Tierra, pero es lo contrario: la Tierra gira alrededor del Sol.

El Arco, Mar de Cortés, Cabo San Lucas, Baja California Sur.

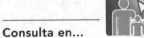

Consulta en...

Pregunta a tu profesor por el siguiente libro que se encuentra en la Biblioteca Escolar: Julieta Fierro, *El día y la noche*, (México, SEP-Santillana, 2003).

Para profundizar en este contenido, entra a <http://basica.primariatic.sep.gob.mx/>, localiza la sección: sitios-Ciencias Naturales, encuentra el portal NASA y anota en el buscador: **rotacional**.

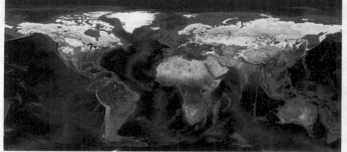

Representación de las estaciones en el hemisferio norte.

Invierno

Primavera

La traslación de la Tierra: ¡qué largo recorrido!

Además de girar sobre su propio eje, la Tierra gira alrededor del Sol con una trayectoria elíptica. A esto se le conoce como **movimiento de traslación**. La Tierra tarda aproximadamente 365 días en dar una vuelta completa alrededor del Sol, es decir, un año solar.

A lo largo del año, debido a la distancia de la Tierra al Sol, al movimiento de traslación y a su eje de inclinación, la luz incide de manera distinta sobre la superficie de la Tierra y, por ello, se producen las cuatro estaciones del año, conocidas como *primavera*, *verano*, *otoño* e *invierno*.

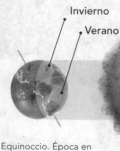

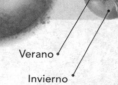

Equinoccio. Época en que, por hallarse el Sol alineado con el ecuador, los días son iguales a las noches en toda la Tierra, lo cual sucede anualmente.

Sin embargo, hay regiones de la Tierra en las que sólo ocurren dos estaciones. En los polos norte y sur, por ejemplo, sólo hay invierno y verano, cada uno dura seis meses. El 21 de marzo inicia el verano en el polo norte, mientras que en el polo sur inicia el invierno. El 23 de septiembre comienza el invierno en el polo norte y en el polo sur empieza el verano.

El verano y el invierno

Observa, analiza y reflexiona.

Trabajen en equipo.

Materiales:
- Modelo de la Tierra que realizaron en la actividad anterior
- Una linterna
- Un cuadrado de cartón negro para cubrir la linterna

Manos a la obra. Realicen la actividad en un lugar oscuro.

Con la punta de un lápiz, hagan un orificio en el centro del cartón y cubran con éste la parte donde la linterna emite luz.

Alguien del equipo sujetará la pelota con el hilo y otra persona le ayudará a inclinarla sobre su eje.

Otro miembro del equipo sostendrá la linterna encendida, apuntando la luz hacia el modelo, a un metro de distancia.

Coloquen el continente americano de cara al Sol (linterna) y observen el área iluminada.

Trasladen la Tierra (balón) sin rotarla y manteniendo su inclinación alrededor del Sol hasta completar media vuelta. Ahora, roten la Tierra hasta que el continente americano quede de cara al Sol. Observen de nuevo el área iluminada por el Sol. En todos los casos la región iluminada, ¿fue igual o diferente?

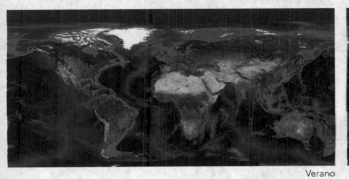

Verano

Otoño

En el mes de mayo, el hemisferio norte recibe los rayos del Sol de forma casi perpendicular a su superficie; así, la cantidad de luz del Sol es mayor y por ello hace más calor: ¿qué estación es ésta? ¿Qué actividades realizas en esta época?

En cambio, en el mes de enero el hemisferio sur es el que recibe los rayos directos del Sol, y la parte norte los recibe con una cierta inclinación y en un área grande; de esta manera, aquí hace más frío: es el invierno. ¿Qué actividades realizan tú y tus compañeros durante el invierno?

El Sol está situado en el centro del sistema solar y a su alrededor giran ocho planetas. ¿Por qué nos parece que el Sol y los demás cuerpos celestes giran alrededor de nuestro planeta?

Piensa: cuando viajas en un coche o en un camión, al mirar a través de la ventana, parece que las personas, las casas y los árboles se mueven, pero sabes que no es así, eres tú el que se desplaza en el vehículo. La Tierra sería como el vehículo, tú estás moviéndote con ella cuando gira sobre su eje, y el cielo es como la ventana del vehículo; así, cuando miras la bóveda celeste parece que los demás cuerpos son los que se mueven. Como el movimiento de rotación se lleva a cabo de oeste a este, el Sol aparenta salir por el este y ponerse por el oeste.

El Sol ocupa el centro del sistema solar. Son los planetas que giran alrededor de éste.

Elaboren en su cuaderno un resumen acerca de lo que aprendieron en este tema. No olviden buscar el significado de las palabras que desconozcan e incorporarlas a su glosario de ciencias.

Equinoccio de verano

Solsticio de verano

Solsticio de invierno

Estaciones del año.

Equinoccio de otoño

Las estaciones son opuestas entre un hemisferio y otro.

La compañera de la Tierra: la Luna

La Luna también tiene movimientos de rotación y de traslación; se traslada alrededor de la Tierra y rota sobre sí misma. Al girar sobre su eje, lo hace aproximadamente en 28 días, mismo tiempo que tarda en completar su órbita alrededor de la Tierra. Por eso siempre observamos la misma cara de este satélite.

Ilustración digital de las fases de la Luna.

Telescopio espacial *Hubble*.

Un dato interesante

Gracias a los avances tecnológicos, como el telescopio y las sondas espaciales, se sabe que en la superficie lunar hay valles con cráteres, llanuras, montañas y grietas.

La Tierra vista desde la superficie de la Luna.

De viaje por el sistema solar

Analiza, reflexiona y comunica.

¿Cómo te imaginas que sería ver los astros moviéndose en el espacio cósmico? Te invitamos a realizarlo. La siguiente actividad será como un viaje, donde imaginarás y simularás los movimientos de rotación y traslación de algunos astros. Organícense en equipos. Si tienen alguna idea o cambio que quieran hacer, consulten con su profesor antes de llevarlo a cabo.

Materiales:

- Modelo de la Tierra que usaron en las actividades anteriores
- Una pelota más pequeña que la del modelo de la Tierra representará a la Luna
- Una linterna
- Una cartulina

Manos a la obra. Salgan al patio de la escuela y, con la colaboración de su profesor, organícense para representar los movimientos de traslación y rotación terrestres. Un miembro del equipo representará al Sol y él llevará la linterna; otro, a la Tierra y otro, a la Luna; ésos serán sus nombres durante la actividad.

Realicen los movimientos de rotación y traslación de cada astro.

Primero, quien tome el lugar de la Tierra comenzará a moverse girando o rotando sobre sí misma, y trasladándose alrededor del Sol.

Después, la Tierra deberá mirar hacia el norte y, sin rotar, dar una vuelta alrededor del Sol, que siempre iluminará a la Tierra. Observen cómo sería la iluminación de la Tierra durante toda su trayectoria.

Observen también que en el modelo, durante la mitad del recorrido será de día y durante la otra mitad será de noche. Si la Tierra no rotara, ¿cuántos meses duraría una noche? _____ Y ¿cuántos meses duraría un día completo con su noche? _____

Para dar respuesta a estas preguntas, es necesario reflexionar que un día con su noche se lleva a cabo en 24 horas, y la Tierra tarda 12 meses en dar una vuelta completa al Sol. En esta actividad, un día completo con su noche se llevará a cabo en 12 meses, y una noche durará seis meses.

En equipos, elaboren dibujos sobre lo que aprendieron en esta actividad y explíquenlo a sus compañeros.

Consulta en...
Para profundizar en el contenido entra a la siguiente página: <http://www.geociencias.unam.mx/geociencias/desarrollo/libro_foucault_web.pdf>.
Entra a <http://basica.primariatic.sep.gob.mx/>, localiza la sección: sitios-Ciencias Naturales, encuentra el portal NASA y accede a los apartados: Sol, Tierra y sistema solar.

Cuando los astros se ocultan

Eclipse total de Sol. Deja ver una llamarada solar.

Ni el Sol ni la Luna se movían, los dos se habían quedado quietos […] arriba del horizonte […] entonces Ehécatl, el viento, hizo moverse al Sol […] detrás de él comenzó a andar la Luna […] por eso no se mueven juntos […] dura todo el día el Sol, pero la Luna de noche hace su oficio […] cada noche cumple su deber…

Auh in ic icaiac ye otlatoca, zan umpa oninocauh in Metztli; quinicuac in ocalaquito icalaquian Tonatiuh, ye no cuele ic hualehuac in Metztli: ic umpa mopatilique, motlallotilique inic ce ceppa hualquiza; tlacemilhuiltia in Tonatiuh, auh in Metztli yohual tequitl quitlaza, ce yohual quitlaza, yohualtequi…

Códice Florentino, libro VII, capítulo 2.
Traducción del náhuatl de Miguel León-Portilla.

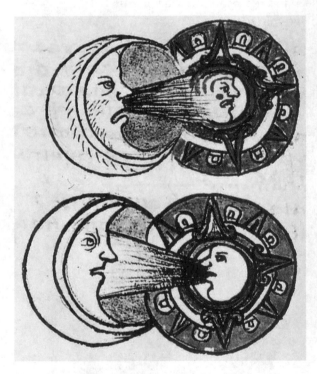

Referencias mexicas a fenómenos y cuerpos celestes: el Sol, la Luna, los eclipses y el grupo de siete estrellas: *Tianquiztli* (el mercado), actualmente las conocemos como las Pléyades. fray Bernardino de Sahagún, *Primeros memoriales. Códice Matritense del Palacio Real de Madrid.*

Para los mexicas los astros se movían por el poder de seres vivientes. Por eso, cuando ocurrían sucesos como los eclipses creían que algún ser poderoso se comía al Sol o a la Luna. Al eclipse de Sol lo llamaban *Tonatiuh-cualo*, que quiere decir "comedora de Sol", y al eclipse de Luna, *Miztli-cualo*.

Otros pueblos, como los mayas, lograron predecir los eclipses con gran precisión.

Durante los movimientos del Sol, la Tierra y la Luna, hay determinados momentos en que los tres astros quedan alineados. ¿Qué fenómenos se observan desde la Tierra cuando esto sucede?

Los eclipses

Cuando la Tierra se interpone entre el Sol y la Luna, obstaculiza la luz del Sol e impide que la Luna se ilumine. A este fenómeno se le llama eclipse de Luna.

Eclipse de Sol.

Eclipse de Luna.

Cuando la Luna se interpone entre el Sol y la Tierra, impide que parte de los rayos solares lleguen a la Tierra, es decir, forma una sombra. Se observa un eclipse de Sol en los sitios de la Tierra donde se proyecta esta sombra de la Luna.

Eclipse total de Sol.

Eclipse parcial de Sol, Bhopal, India, 2007.

Los eclipses

Reflexiona, explica y comunica.

¿Has visto alguna vez un eclipse? Realmente es espectacular observar cómo se ocultan el Sol o la Luna por algunos momentos. A continuación llevarán a cabo una actividad de equipo en la que pondrán en juego su imaginación para representar y explicar lo que aprendieron acerca de la formación de eclipses, considerando los movimientos de la Luna y la Tierra.

Materiales:

- Modelo de la Tierra que usaron en las actividades anteriores
- Una pelota más pequeña que la del modelo de la Tierra y representará a la Luna
- Una linterna

Manos a la obra. Elaboren modelos de los distintos tipos de eclipses. Investiguen cuándo se llevarán a cabo los próximos. ¿Cómo pueden comunicar a la comunidad escolar los resultados de su investigación? Elaboren sus propuestas y pidan la asesoría de su profesor. También es conveniente la observación de videos y la visita a un planetario. Hagan en su cuaderno un resumen de lo que aprendieron en esta actividad.

Cuando la Tierra dejó de ser el centro del universo

Aunque hoy se sabe que el Sol es el centro del sistema solar y que la Tierra y los demás astros giran a su alrededor, durante mucho tiempo se pensó que el Sol era el que giraba alrededor de la Tierra. ¿Por qué cambian las explicaciones de los fenómenos de la naturaleza?

Desde la antigüedad, el ser humano ha intentado explicar lo que sucede en la naturaleza. Algunos griegos, como Eudoxo (390-337 a.C.), propusieron que la Tierra era el centro del universo y alrededor de ella se situaban los demás astros. Aristóteles (384-322 a.C.) explicó que la Tierra no se movía y que los demás astros eran los que giraban a su alrededor.

Cosmología aristotélica, 1524.

Astrónomos observan un eclipse solar, Miahuatlán, Oaxaca.

Consulta en...

Para profundizar en el contenido entra a <http://basica.primariatic.sep.gob.mx/>, localiza la sección: sitios-Ciencias Naturales, encuentra el portal Eureka y localiza a Copérnico.

En el siglo II, Claudio Ptolomeo (100-170 d.C.), astrónomo y matemático egipcio, expuso un modelo para explicar los movimientos de los astros que consistía en siete esferas. Ptolomeo dedujo que todos los planetas, incluidos la Tierra y la Luna, se movían en las esferas y la Tierra se ubicaba casi en el centro del universo. A este modelo se le conoce como modelo geocéntrico.

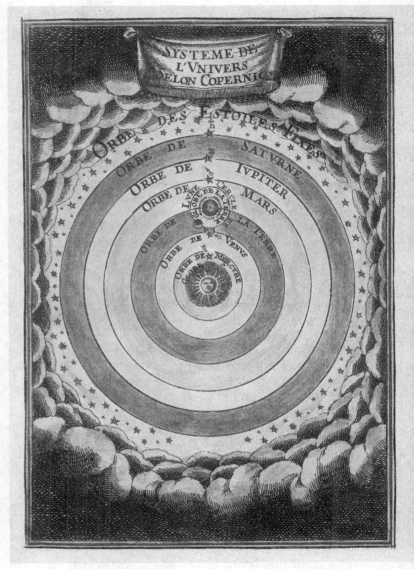

Dibujo del sistema planetario copernicano, 1690.

Sistema solar copernicano.

El modelo geocéntrico fue aceptado hasta principios del siglo XVI. En 1512, el astrónomo polaco, Nicolás Copérnico (1473-1543) estudió una idea de los griegos que sostenía que la Tierra no era el centro del universo, y con base en ella planteó una representación diferente del movimiento de los astros.

Copérnico ubicó en el centro de su modelo al Sol, dijo que la Tierra era un planeta que se movía alrededor de él y sobre sí mismo, que el único cuerpo que se movía alrededor de nuestro planeta era la Luna. En esta propuesta los astros se desplazaban en círculos alrededor del Sol. A este modelo se le conoce como modelo heliocéntrico del sistema solar.

. 5 . Æther .

. 4 . Ignis .

. 3 . Aer .

. 2 . Aqua .

. 1 . Terra .

En la cosmovisión aristotélica,
el éter era el quinto elemento.

Cuando observamos la naturaleza
formulamos explicaciones de lo
que sucede, de acuerdo con los
conocimientos que tenemos. Al llevar
a cabo más descubrimientos sobre los
mismos fenómenos, elaboramos nuevos
modelos.

El modelo de esferas de Ptolomeo fue
aceptado durante mucho tiempo, pero
siglos después se planteó una nueva
propuesta cuando Copérnico explicó los
movimientos de los planetas con círculos.
La idea copernicana dio explicaciones
más convincentes y amplias acerca de
los astros, y la demostró con cálculos
matemáticos.

La ciencia y sus vínculos

Entre las explicaciones más importantes
acerca de los astros está la de los
griegos, en especial la de Aristóteles. Este
pensador se basó en el modelo de Eudoxo
y propuso que el lugar natural de la
Tierra estaba en el centro del universo.

En el modelo aristotélico había dos
regiones en el cosmos: una arriba de la
Luna y otra debajo de ella. En la primera
estaban los planetas, todo era perfecto
y se movía en círculos. En la región de
abajo existía lo imperfecto: la tierra,
el agua, el fuego y el aire, moviéndose
hacia arriba o hacia abajo. Todo lo que
era semejante a la Tierra se movía en su
dirección, por eso al lanzar una piedra
hacia arriba, ésta regresaba a la Tierra.

Por arriba de la Luna se ubicaban el
Sol y los demás astros moviéndose en
forma circular. Las propuestas del egipcio
Ptolomeo y del griego Aristóteles fueron
aceptadas durante más de 16 siglos.
(Con la colaboración de tu profesor
calcula a cuántos años equivale este
tiempo.) ▮▮

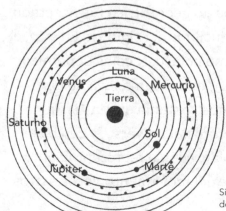

Sistema planetario
de Ptolomeo.

Representación del modelo de sistema
planetario de Kepler.

Más adelante, en el siglo XVI, Johannes
Kepler propuso que los planetas se
mueven describiendo trayectorias
elípticas.

Como te habrás dado cuenta, muchos
conocimientos científicos que fueron
aceptados en tiempos pasados hoy han
cambiado. En la actualidad, sabemos que
el movimiento de los planetas describe
trayectorias elípticas en lugar de esferas
o círculos.

Los cambios del conocimiento científico

Investiga, analiza y explica.

Si las sociedades y la cultura cambian,
y la tecnología nos proporciona
más y mejores instrumentos para
la investigación, ¿qué es posible
que suceda en el futuro con los
conocimientos científicos actuales?

Explica en tu cuaderno lo que
aprendiste en este bloque acerca
de cómo han cambiado las ideas y
conocimientos científicos del cosmos a
lo largo de la historia. Si tienes dudas
vuelve a leer este tema y pregunta a tu
profesor.

Con la colaboración de tus
compañeros, investiga en internet
algunos conocimientos científicos de
otros tiempos que hayan cambiado en
la actualidad.

En grupo, elaboren una exposición
en el periódico mural de su escuela.
Recuerden buscar el significado
de las palabras que no conozcan e
incorporarlas a su glosario. Guarden sus
trabajos en sus portafolios.

Representación actual
del sistema solar.

Consulta en...

Para profundizar en el contenido entra a <http://basica.primariatic.
sep.gob.mx/>, localiza la sección: sitios-Ciencias Naturales, encuentra
el portal Eureka y revisa el apartado: artículos relacionados con la
tecnología.
Pregunta a tu profesor por el siguiente libro que se encuentra en la
Biblioteca Escolar: Gerry Bailey, *Hace muchísimo tiempo...*, (México,
SEP-SM Ediciones, 2005).

Mi proyecto de ciencias

Durante la realización de este proyecto tendrás la oportunidad de aplicar todos los conocimientos que adquiriste durante el curso escolar. Para ello, junto con los demás integrantes de tu equipo de trabajo, escoge uno de los siguientes temas.

1. El cuidado de la salud
¿Por qué son importantes la recreación y el esparcimiento para mantener la salud?

2. Aprovechamiento del calor en el funcionamiento de un juguete
¿Cómo aprovechar el efecto del calor para diseñar y construir un juguete?

Planeación

Una vez que escogieron el tema, deben ponerse de acuerdo acerca de cómo contestarán la pregunta del proyecto, cuál será su producto, y cómo y a quiénes les presentarán sus resultados. En caso de escoger el juguete, deben analizar cuáles materiales usarán. Definan las funciones que cada miembro realizará y calculen el tiempo que llevará cada actividad.

Investiguen en varias fuentes, como libros, revistas e internet, y pidan orientación a su profesor.

Elaboren un cronograma, como lo han hecho en los proyectos de los bloques anteriores, de acuerdo con las actividades particulares de su proyecto.

Tarea	Tiempo que le dedicarán

Desarrollo

A continuación encontrarán preguntas que les serán útiles para diseñar su proyecto. Antes de realizarlo, preséntenlo a su profesor y juntos reflexionen acerca de las posibilidades de llevarlo a cabo.

PROYECTO 1.

El cuidado de la salud

¿Por qué son importantes la recreación y el esparcimiento para mantener la salud?

¿Qué servicios se ofrecen en el lugar donde vivo para impulsar la recreación y el esparcimiento?

¿Qué aspectos influyen en la salud integral?, ¿cómo podemos promoverlos?

¿Qué medidas de prevención podemos practicar de manera cotidiana para promover la salud?

PROYECTO 2.

Aprovechamiento del calor en el funcionamiento de un juguete

¿Cómo podemos aprovechar el efecto del calor para diseñar y construir un juguete?

¿Qué juguete nos interesa construir?

¿Qué materiales e instrumentos emplearemos?

¿Qué procedimientos pensamos seguir para construirlo?

¿Cómo podemos mejorar su funcionamiento?

A continuación, se sugiere la construcción de una turbina que funciona con el calor generado por una vela. Recuerden que pueden hacer este juguete o cualquier otro que ustedes hayan investigado.

Materiales:

- Una vela pequeña
- Una lata de refresco de aluminio
- Papel aluminio
- 20 a 25 cm de tubo de cobre
- Una tina
- Pinzas
- Tijeras

Con ayuda de su profesor, corten la lata de refresco a la mitad y hagan dos pequeñas perforaciones en la parte superior, como se muestra en la página siguiente.

Introduzcan la vela dentro de la lata de refresco, y coloquen papel aluminio a su alrededor, procuren no cubrir el pabilo.

Con ayuda de las pinzas enrollen el tubo de cobre por el centro: hagan dos o tres vueltas; introduzcan los extremos del tubo en los orificios de la lata, de manera que el tubo enrollado quede sobre el pabilo de la vela.

Doblen con las pinzas los extremos del tubo en sentido opuesto, tal como se muestra en la imagen.

Llenen con agua las tres cuartas partes de la capacidad de la tina, prendan la vela y coloquen el dispositivo sobre el agua.

Observen lo que sucede.

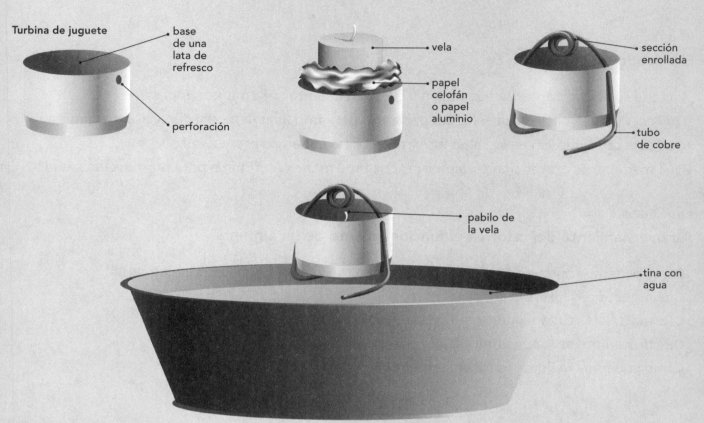

Turbina de juguete

base de una lata de refresco

perforación

vela

papel celofán o papel aluminio

sección enrollada

tubo de cobre

pabilo de la vela

tina con agua

Comunicación

En grupo, pónganse de acuerdo para informar a su comunidad educativa los resultados de su proyecto.

Autoevaluación del proyecto

Es tiempo de que evalúes lo que has aprendido en este proyecto. Lee cada enunciado y marca con una ✓ el nivel que hayas logrado alcanzar.

	Sí	No	A veces	¿Cómo puedo mejorar?
Escuché y valoré las opiniones de los demás integrantes del equipo.	○	○	○	_____
Colaboré para que el proyecto se llevara a cabo como se planeó.	○	○	○	_____
Realicé las actividades que se me asignaron.	○	○	○	_____
Aporté ideas creativas y útiles para realizar el proyecto.	○	○	○	_____

Evaluación

Para contestar lo siguiente será necesaria toda tu atención. Concéntrate en cada pregunta y escribe la respuesta en el espacio correspondiente. Verifica con tu profesor, y con tu grupo, que la respuesta sea la adecuada; si no es así, lee de nuevo la sección del libro donde se encuentra el tema, analiza la respuesta y vuelve a contestar la pregunta.

1. Contesta lo que se te pide.

   Con base en lo aprendido en este bloque, indica cómo han cambiado las explicaciones del movimiento de nuestro planeta respecto al Sol.

   _____
   _____

   Explica cómo es el movimiento de traslación de nuestro planeta y qué fenómenos produce.

   _____
   _____

   Por medio de un dibujo y con base en los movimientos de la Luna y la Tierra, explica cómo se produce un eclipse de Sol.

   _____
   _____

2. Escribe en las líneas las palabras que completan el párrafo:

   365 días   **traslación**   **rotación**   **24 horas**   **refleja**   **Luna**

   Durante el movimiento de _____ la Tierra gira sobre sí misma y se producen el día y la noche.

   Este movimiento tarda aproximadamente _____ .

   El movimiento de _____ produce las cuatro estaciones del año. Este movimiento se

   lleva a cabo en aproximadamente _____ .

   La _____ es el satélite natural de la Tierra. Es un astro que _____ la luz del Sol.

Autoevaluación

Es momento de revisar lo que has aprendido en este bloque. Lee cada enunciado y marca con una ✓ el nivel que hayas logrado. Así podrás reconocer tu desempeño al realizar el trabajo en equipo y de manera personal.

	Siempre	Lo hago a veces	Difícilmente lo hago
Explico la formación de eclipses y la secuencia del día y la noche.	○	○	○
Reconozco que las explicaciones del movimiento de la Tierra respecto del Sol han cambiado a lo largo de la historia.	○	○	○

¿En qué otras situaciones puedo aplicar lo que aprendí en este proyecto?

_____

_____

	Siempre	Lo hago a veces	Difícilmente lo hago
Escuché con atención y respeto las opiniones de los integrantes de mi equipo.	○	○	○
Participé de manera colaborativa en las actividades del proyecto.	○	○	○
Expresé curiosidad e interés por plantear preguntas y buscar respuestas para el proyecto.	○	○	○

Me propongo mejorar en:

_____

_____

_____

Ahora dedica unos minutos a pensar en tu desempeño durante este bloque y contesta las siguientes preguntas:

¿Qué temas se me dificultaron? _____

¿Qué actividades me costaron más trabajo? _____

¿Las pude terminar? _____

¿Qué hice para lograrlo? _____

Bibliografía

ALDRIN, Buzz y Malcolm Connell, *Los hombres de la Tierra*, México, Bantam Books, 1989.

BERGGREN, J. Lennart y Alexander Jones (eds.), *Ptolemy's "Geography": an annotated translation of the theoretical chapter*, Princeton, Princeton University Press, 2001.

BURNIE, David, *Microvida*, México, SEP, 2005.

CARRETERO, Mario, *¿Qué es el constructivismo? Desarrollo cognitivo y aprendizaje. Constructivismo y educación*, México, Progreso, 1997.

CHANCELLOR, Deborah, *Planeta Tierra*, Madrid, Edilupa, 2007.

CHARLEY, Helen, *Tecnología de alimentos: procesos químicos y físicos en la preparación de alimentos*, México, Limusa, 2008.

DÍAZ BARRIGA, Frida y Gerardo Hernández Rojas, *Estrategias docentes para un aprendizaje significativo*, México, McGraw-Hill, 2002.

DRIVER, Rosalind, Edith Guesne y Andrée Tiberghien, *Ideas científicas en la infancia y en la adolescencia*, Madrid, Morata, 1989.

FIERRO, Julieta, Jesús Galindo y Daniel Flores, *Eclipse total de Sol en México*, México, UNAM, 1991.

FLORES, Fernando y Leticia Gallegos, "Construcción de conceptos físicos en estudiantes. La influencia del contexto", *Perfiles Educativos XXI*, núm. 85/86, 1999, pp. 85-86, 90-103

_____, "El cambio conceptual: interpretaciones, transformaciones y perspectivas", *Educación Química*, vol. 15, núm. 3, 2004, pp. 256-269.

FUENTE, Beatriz de la, Teresa Uriarte, Marcus Winter y Felipe Solís, *México en el mundo de las colecciones de arte: Mesoamérica*, vol. 1, México, INAH, 1995.

GIORDAN, André y Gérard Vecchi, *Los orígenes del saber. De las concepciones personales a los conceptos científicos*, Sevilla, Diada, 1988.

GONZÁLEZ-FIERRO, Aurora, *La diversidad de los seres vivos*, México, SEP-Santillana, 2003.

GUYTON, Arthur C. y John E. Hall, *Tratado de fisiología médica*, México, McGraw-Hill Interamericana, 2006.

HARLEN, Wynne, *Enseñanza y aprendizaje de las ciencias*, Madrid, Morata, 1989.

HERNÁNDEZ, Ángel G., *Tratado de nutrición*, vol. I, Madrid, Acción Médica, 2005.

HERNÁNDEZ, Manuel y Ana Sastre, *Tratado de nutrición*, Madrid, Ediciones Díaz de Santos,1999.

HIERREZUELO MORENO, José et al., *La ciencia de los alumnos*, México, Fontamara, 2002.

JOUVE, Nicolás, *Enseñanza-aprendizaje de la Biología*, Madrid, II Congreso Iberoamericano de Educación en Ciencias Experimentales, 2003.

LACASA, Pilar, "Construir conocimientos: ¿saltando entre lo científico y lo cotidiano?", en José Arnay, *La construcción del conocimiento escolar*, Barcelona, Paidós, 1997.

LACUEVA, Aurora, *Ciencia y tecnología en la escuela*, México, SEP Alejandría, 2008.

LOSEE, John, *Introducción histórica a la filosofía de la ciencia*, México, Alianza Editorial, 2001.

LUENGAS, Rosalba y Aurelina Jiménez, *Manual de conservación de frutas y verduras*, San Martín Soyolapam, Instituto Tecnológico del Valle de Oaxaca, 2007

MENÉNDEZ-PONTE, María, *Qué mágico es mi cuerpo*, México, SEP, 2006.

NASSON, Alvin y Robert L. De Haan, *El mundo biológico*, México, Limusa, 1980.

ORAM, Raymond F. et al., *Biología: sistemas vivientes*, México, CECSA, 1983.

PORLAN, Rafael et al., *Constructivismo y enseñanza de las ciencias*, Sevilla, Diada, 1997.

POZO, Juan Ignacio, *Aprender y enseñar ciencia. Del conocimiento cotidiano al conocimiento científico*, Madrid, Morata, 1998.

POZO, Juan Ignacio y Miguel Ángel Gómez Crespo, *Aprender y enseñar ciencia. Del conocimiento cotidiano al conocimiento científico*, Madrid, Morata, 2000.

RASTOIN-FARGERON, François, *La alimentación*, México, SEP-Larousse, 2006.

SAHAGÚN, Bernardino de, *Historia general de las cosas de Nueva España*, México, Porrúa, 2006.

SILVA, Osvaldo, *Civilizaciones prehispánicas de América*, Santiago de Chile, Editorial Universitaria, 2006.

VYGOTSKY, Lev, *Pensamiento y lenguaje*, Barcelona, Paidós, 1995.

WONG, George, *Animales y plantas viven aquí*, México, SEP-Planeta, 2002.

WOOD, Robert, *Ciencia creativa y recreativa: experimentos fáciles para niños y adolescentes*, México, SEP-McGraw-Hill Interamericana, 2004.

ZEITOUN, Charline, *El cuerpo*, México, SEP, 2005.

Referencias de internet

http://ideasprevias.cintrum.unam.mx:2048
http://www.conocimientosweb.net/mestizos/article28.html
http://www.edufuturo.com/educacion.php?c=2459
http://www.juntadeandalucia.es/averroes/manuelperez/curso0405/udanatomia/reproductor/index.htm
http://kidshealth.org/parent/en_espanol/general/male_reproductive_esp.html
http://cma.aldeae.net/Media/default.asp?gestacion.swf
http://www.conevyt.org.mx/cursos/cursos/edu_hijos/contenido/fasciculos/sex_4/sexyrepro.html
http://www.juntadeandalucia.es/averroes/~29701428/salud/ssvv/repro1.htm
http://educacion.practicopedia.com/como-funciona-el-sistema-nervioso-2386
http://www.redem.org/primaria%20c%20naturales.html
http://kidshealth.org/misc/movie/spanish/bodyBasicsBrain/bodyBasicsESP_brain.html
http://www.supersaber.com/digestivo.htm
http://www.escolar.com/cnat/a21aparatdigest.htm
http://www.gobiernodecanarias.org/educacion/9/Usr/eltanque/pizarradigital AparatoDigestivo/inicio_cm.html
http://www.ime.gob.mx/programas_salud/vacunas.htm
http://www.umm.edu/esp_ency/article/000003prv.htm
http://www.childrenscentralcal.org/Espanol/HealthS/P05937/P05953/P05926/Pages/home.aspx
http://www.rena.edu.ve/SegundaEtapa/ciencias/tiposrepro.html
http://www.botannical-online.com/partesdelasplantas.htm
http://www.rena.edu.ve/primeraetapa/Ciencias/partesplan.html
http://www.rena.edu.ve/SegundaEtapa/ciencias/reproduccionanimales.html
http://ideasprevias.cinstrum.unam.mx:2048/preconceptos.htm
http://www.conagua.gob.mx
http://spaceplace.nasa.gov/sp/kids/
http://www.spitzer.caltech.edu/espanol/edu/askkids/suneclipse.shtml
http://ciencia.msfc.nasa.gov/
http://www.caricature.es/directorio2/eclipses-para-ninos.html
http://www.bbc.co.uk/mundo/ciencia_tecnologia/index.shtml
http://www.fisicadebolsillo.com/modelos-geocentricos.html
http://educacion.practicopedia.com/como-funciona-el-sistema-nervioso-2386
http://www.redem.org/primaria%20c%20naturales.html
http://kidshealth.org/misc/movie/spanish/bodyBasicsBrain/bodyBasicsESP_brain.html

Créditos iconográficos

Para la elaboración de este libro se utilizaron fotografías, visualizaciones, y diagramas de las siguientes instituciones y personas:

p. 10: índice metabólico basal, (IMB) © www.TheVisualMD.com; **p. 12:** (arrib.) visualización tridimensional del sistema endocrino femenino basado en datos de un humano segmentado, © Latinstock México; (ab.) visualización tridimensional reconstruida de datos humanos escaneados del sistema endocrino masculino, © Latinstock México; **p. 13:** (izq.) mujer hincada, desnuda, con argollas en la nariz, fotografía de Marco Antonio Pacheco Conaculta-INAH-Méx., reproducción autorizada por el Instituto Nacional de Antropología e Historia; (der.) "El adolescente de Tamuín", 111 × 39 cm, fotografía de Marco Antonio Pacheco, © Arqueología Mexicana Conaculta-INAH-Méx., reproducción autorizada por el Instituto Nacional de Antropología e Historia; **p. 19 :** (ab.) cerebro y sistema nervioso, © www.TheVisualMD.com; **p. 20:** (ab.) sistema óseo y nervioso, © www.TheVisualMD.com; **p. 21:** (arr.) sistema nervioso central; (ab.) esqueleto femenino, © www.TheVisualMD.com; **p. 22:** (ab.) sistema circulatorio, © www.TheVisualMD.com; **p. 25:** Aparato digestivo, © www.TheVisualMD.com; **p. 26:** (izq.) tráquea y pulmones, © www.TheVisualMD.com; **p. 28** medalla conmemorativa vacuna de la viruela, Colección Histórica de la Biblioteca Rudolph Matas © Universidad de Tulane; **p. 30:** Cartilla Nacional de Salud, Secretaría de Salud; **p. 31:** *Códice Florentino*, reprografía de Marco Antonio Pacheco, © Arqueología Mexicana Conaculta-INAH-Méx., reproducción autorizada por el Instituto Nacional de Antropología e Historia; **p. 40:** ojo en Xilitla, San Luis Potosí, fotografía de Arturo Curiel Ballesteros; **p. 42:** cuello volcánico en el Cañón de Batopilas, México, fotografía de Phil Schermeister, © National Geographic Stock; **p. 43:** (arr. izq.) acercamiento de un helecho tropical, fotografía de Darlyne A. Murawski; (ab. izq.) piña y rama de un abeto, fotografía de Point Adolphus/Michael Melford, © National Geographic Stock; (ab. der.) orquídeas, Coatzacoalcos, Veracruz, fotografía de Manuel Grosselet/Banco de Imágenes Conabio; **p. 44:** (izq.) bugambilias, © Photo Stock; (der.) flor de obelisco, fotografía de Taylor S. Kennedy, © National Geographic Stock; **p. 45:** flor de ninfa, Baño de San Ignacio, Linares, Nuevo León, fotografía de Carlos Gerardo Velazco Macías/Banco de Imágenes Conabio; **p. 46:** (centro) papa, fotografía © de Rob Byron, www.parangaimages.com; (ab. der,) frijoles: Colección de brotes, fotografía © de Acik, www.parangaimages.com; **p. 48:** (der.) escarabajo sobre una flor, © Jesús Cortés; (izq.) abeja polinizando; (centro) ave polinizadora, © Eduardo Fanti; **p. 49:** murciélagos polinizadores, © Eduardo Fanti; **p. 50:** diente de león, fotografía de Pedro Tenorio Lezama/Banco de Imágenes Conabio; **p. 51** (der. segunda a cuarta imagen de arr. hacia ab.) pitón; eclosión; parto, © Eduardo Fanti; (arrib. der.) tortuga naciendo, fotografía de Michael Durham/Minden Pictures, © National Geographic Stock; (ab.) apareamiento de león, Kenya, fotografía de Denis-Huot, © Latinstock México; **p. 52:** (izq.) manatí con su cría, fotografía de Daniel J. Cox, © Latinstock México; (der.) vaca, Santa María Chimalapa, Oaxaca, fotografía de Miguel Ángel Sicilia Manzo/ Banco de Imágenes Conabio; **p. 53:** (ab.) pingüinos emperador con polluelos, fotografía de Alaska Stock Images, © National Geographic Stock; (arr.) cópula de gaviotas, fotografía de Philippe Henry, © Glowimages; **p. 54:** (izq.) hongos cabeza de garrote y bejín, fotografía de Paul Zahl; (der.) hongos en un tronco de árbol, fotografía de Sam Abell, © National Geographic Stock; **p. 57:** hongos, fotografía de Bianca Lavies, ©

National Geographic Stock; **p. 58:** manglares, Santa María Tonameca, Oaxaca, fotografía de Patricia Ramírez Bastida/Banco de Imágenes Conabio; **pp. 60-61:** factores abióticos, Arturo Curiel Ballesteros; **p. 63:** (centro) paisaje nevado, © Latinstock México; (arr.) nubes; (ab.) cascada, Arturo Curiel Ballesteros; **p. 64:** (arr. izq.) zopilote Rey, Xcaret, Quintana Roo, fotografía de Adalberto Ríos Szalay/Banco de Imágenes Conabio; (ab. der.) poliporos de abedul sobre un tronco caído, fotografía de Darlyne A. Murawski, © National Geographic Stock; (arr. der.) liebre de Tehuantepec, Santa María, Oaxaca, fotografía de Tamara Mila Rioja Paradela/Banco de Imágenes Conabio; (ab. izc.) monstruo de Gila, fotografía de Clive Druett, © Latinstock México; **p. 65:** (centro izq.) musgo en el suelo del bosque, fotografía de Gordon Wiltsie; (centro) esporangia de moho mucilaginoso sobre madera, fotografía de Stephen Sharnoff y Sylvia Duran. © National Geographic Stock; (arr.) gavilán pescador, Marquelia, Guerrero, fotografía de Leopoldo Vázquez/Banco de Imágenes Conabio; (ab.) jaguar, Monterrey, NL, fotografía de Carlos Javier Navarro Serment/Banco de Imágenes Conabio; **p. 68:** (arr.) carpintero bellotero, Monterrey, NL, fotografía de Carlos Javier Navarro Serment/Banco de Imágenes Conabio; (ab.) venado cola blanca, Zacatecas, fotografía de Carlos Javier Navarro Serment/ Banco de Imágenes Conabio; **p. 72:** tres estados de la materia, hielo, agua y vapor, fotografía de Mehau Kulyk, © Science Photo Library; **pp. 74-75:** vórtices de patrones de humo, fotografía de la Fuerza Aérea de Estados Unidos, Russell E. Cooley IV, © Science Photo Library; **p. 76:** materiales diversos, Petra Ediciones: fotografías de Víctor Alain Ivañez; **p. 77:** (centro arr.) rocas y monedas; (centro ab.) bloque de madera y cubo de hielo; (ab. der.) grifo, Petra Ediciones: fotografías de Víctor Alain Ivañez; **p. 78:** (izq.) gotas de agua, fotografía de Adam Hart-Davis, © Science Photo Library; **p. 79:** (centro) botella con yodo en estado gaseoso; (der. abajo) hielo seco, fotografía de Gustoimages, © Science Photo Library; **p. 81:** (izq.) mantequilla derretida; (der.) parafina escurriendo, Petra Ediciones: fotografías de Víctor Alain Ivañez; **p. 82:** (centro der.) nube cúmulo, Petra Ediciones: fotografías de Víctor Alain Ivañez; (centro izq.) nube cirrus, fotografía de Detlev van Ravenswaay, © Science Photo Library; **p. 83:** interior de una cueva, fotografía de Larry Fisher, © Other images; **pp. 84-85:** (arr.) *Naturaleza muerta* (detalle) (*ca.* 62-79 a. C.) fresco romano, 50.5 × 180 cm, encontrado en Herculano © Latinstock México; (ab.) *Naturaleza muerta* (79 a.C.), fresco romano, 27 × 97.5 cm, Pompeya; © Latinstock México **p. 86:** (ab.) huevos crudos y huevo cocido, Petra Ediciones: fotografías de Víctor Alain Ivañez; (arr. der.) ingredientes típicos de la comida maya, fotografía de David Sanger; (centro) mujer preparando comida, Xochimilco, fotografía de Kathleen Finlay, © Other images; **p. 87:** (arr.) plato de frijoles; (ab.) cochinita pibil, Petra Ediciones: fotografías de Víctor Alain Ivañez; **p. 88:** serie de frascos con caldo de pollo, Petra Ediciones: fotografías de Víctor Alain Ivañez; **p. 89:** refrigerador, © Photo Stock; **p. 90:** (arr. der.) pescado congelado, Petra Ediciones: fotografías de Víctor Alain Ivañez; (izq. centro) depósito de reciclaje de refrigeradores, Canadá, fotografía de Alan Sirulnikoff © Science Photo Library; (izq. ab.) refrigerador con etiqueta FIDE, fotografía de Enrique Martínez Horta, Archivo Iconográfico, DGMIE/SEP; (der. ab.); Mario Molina, químico mexicano, fotografía de Emilio Serge, © Science Photo Library; **p. 91:** (arr. der.) retrato del químico francés Luis Pasteur, reproducción de la Biblioteca Nacional de Medicina; (ab.) galería de exhibición científica, Museo Pasteur, París, fotografía de Philippe Gontier, © Science Photo Library. **p. 92:** (arr. izq.) bebidas pasteurizadas; (ab. der.) chiles secos, Petra Ediciones: fotografías de Víctor Alain Ivañez; (izq.) cecina ahumada, fotografía de Danny Lehman, ©

Latinstock México; **p. 93:** (centro) ciruelas y uvas; (ab.) charales, Petra Ediciones: fotografías de Víctor Alain Ivañez; (arr.) *Escena de cocina* (siglo XVII), Alejandro de Laorte (*ca.* 1590-1626), óleo sobre tela, 100 × 122 cm, Museo Nacional de Ámsterdam © Latinstock México; **p. 94:** manzanas y pera, Petra Ediciones: fotografías de Víctor Alain Ivañez; **p. 96:** charola con fruta para preparar orejones, Petra Ediciones: fotografías de Víctor Alain Ivañez; **p. 98:** paisaje natural en México, Chihuahua, fotografía de Carlos Sánchez Pereyra, © Latinstock México; **p. 100:** reflejo de peces, Petra Ediciones: fotografías de Víctor Alain Ivañez; **p. 101:** pescador en una laguna de Mazatlán, fotografía de Dave Bartruff, © Latinstock México; **p. 102:** (ab.) montaje de transportador sobre espejo, Petra Ediciones: fotografías de Víctor Alain Ivañez; **p. 103:** luz reflejada en un espejo, fotografía de Martyn F. Chillmaid, © Science Photo Library; **p. 104:** (arr.) fibra óptica © Photo Stock; (ab.) almohadilla de fibra óptica que emite luz para reducir el nivel de bilirrubina © Other Images; **p. 105:** (ab.) reflejo de árboles, © Latinstock México; (arr.) reflejo de un espejo, Petra Ediciones: fotografías de Víctor Alain Ivañez; **p. 106:** (arr. izq.) espectadores con periscopios, 1939, fotografía de la Colección Hulton-Deutsch; (centro der.) submarino Louisville, 1992, fotografía de Steve Kaufman; (ab.) escalera en el Fórum Caixa, Madrid, fotografía de Guido Cozzi, © Latinstock México; **p. 107:** (arr. der.) gota de agua en un retoño de flor, fotografía de Dr. John Brackenbury; (arr. izq.) gota de agua sobre una hoja de la planta *Tropaeoleum majus*, fotografía del Dr. John Brackenbury, © Science Photo Library; (ab. izq.) imagen de la silla refractada a través de un vaso con agua, fotografía de Masterfile; (ab. der.) pies dentro de una alberca, fotografía de Masterfile, © Other images; **p. 108:** (ab.) binoculares, © Other images; (arr.) refracción de lápices de colores, Petra Ediciones: fotografías de Víctor Alain Ivañez; **p. 109:** (ab. der.) gerbera a través de una lupa, Petra Ediciones: fotografías de Víctor Alain Ivañez; (arriba der.) lentes, fotografía de Tips, © Other images; **pp. 110-111:** electricidad estática, fotografía de Roger Ressmeyer, © Latinstock México; **p. 112** (de arr. a ab.) globos con confeti; unicel adherido por electricidad estática a un cepillo, Petra Ediciones: fotografías de Víctor Alain Ivañez; **p. 113:** ámbar, Petra Ediciones: fotografías de Víctor Alain Ivañez; **p. 115:** (arr.) máquina de vapor antigua, © Photo Stock; (izq. centro) la primera motocicleta, ilustración histórica de Shelia Terry © Science Photo Library; **p. 116:** (arr.) secuencia de espiral de papel girando sobre una vela, Petra Ediciones: fotografías de Víctor Alain Ivañez; **p. 117:** (ab. der.) rueda de máquina, fotografía de Pepperprint, © Latinstock México; (arr.) locomotora de vapor, fotografía de Victor de Schwanberg, © Science Photo Library; **p. 118:** (arr.) grabado de Denis Papin, inventor francés, ilustración de Sheila Terry; (ab.) barco de vapor de Jonathan Hull, ilustración de Sheila Terry, © Science Photo Library; **p. 119:** (arr.) gotas de mercurio; (ab.) cruce de vías de tren, Petra Ediciones: fotografías de Víctor Alain Ivañez; **p. 120:** serie de reflejos en un caleidoscopio, Petra Ediciones: fotografías de Víctor Alain Ivañez; **pp. 122-123:** confeti, clips y botella de plástico, Petra Ediciones: fotografías de Víctor Alain Ivañez; **p. 126:** Región central de la Vía Láctea, fotografía de John Sanford, © Science Photo Library; **pp. 128-129:** cielo nocturno, fotografía de Pekka Parviainen, © Science Photo Library; **p. 130:** (arr.) ilustración por computadora de las fases de una estrella, ilustración de Victor Habbick Visions; (arr. der.) estrella enana blanca, ilustración de Mark Garlick, © Science Photo Library; (ab.) planetas del sistema solar, ilustración del Laboratorio Lunar y Planetario, © NASA; **p. 131:** (arr.) la Tierra y la Luna, fotografía de © NASA/JPL; (ab. izq.) lanzamiento de la nave espacial Apolo XI, el 16 de julio de 1969, fotografía de NASA/Stennis Space Center; (ab.) Edwin "Buzz" Armstrong caminando en la

Luna, © NASA; **p. 132:** (ab.) *Códice Borbónico*, Tonatiuh, detalle, reprografía de Marco Antonio Pacheco, © Arqueología Mexicana Conaculta-INAH-Méx., reproducción autorizada por el Instituto Nacional de Antropología e Historia; (arr.) Coatlicue, diosa azteca de la tierra, piedra arenisca, 350 × 130 cm, fotografía de Jean-Pierre Courau, © Other images Conaculta-INAH-Méx., reproducción autorizada por el Instituto Nacional de Antropología e Historia; **p. 133:** (arr.) *La serpiente y el jaguar* (1964), mural de Rufino Tamayo, vinelita sobre tela, 353 × 1221 cm, Museo Nacional de Antropología, fotografía de Marco Antonio Pacheco, Conaculta-INAH-Méx., reproducción autorizada por Instituto Nacional de Antropología e Historia; (centro) *Códice Telleriano-Remensis* (detalle), símbolos de un eclipse, reprografía de Marco Antonio Pacheco, © Arqueología Mexicana Conaculta-INAH-Méx., reproducción autorizada por el Instituto Nacional de Antropología e Historia; **p. 134:** trompos girando, Petra Ediciones: fotografías de Víctor Alain Ivañez; **p. 135:** La rotación de la Tierra, ilustración de Detlev van Ravenswaay, © Science Photo Library; **p. 137:** (arr. izq.) El Arco, formaciones rocosas en el Mar de Cortés, Cabo San Lucas, fotografía de Brian Sytnyk; (ab. izq.) El Arco al anochecer, fotografía de Brian Sytnyk, © Other images; **pp. 138-139:** (arr.) las cuatro estaciones del planeta Tierra, NASA, versión digital de Science Faction, © Latinstock México; **p. 139:** (centro der.) planetas del sistema solar, ilustración de NASA /JPL, © Science Photo Library; **p. 140:** (arr.) las fases de la Luna desde un punto de vista aleatorio, ilustración de William Radcliffe © Latinstock México; (ab. izq.) reparación del telescopio espacial Hubble, 1993, fotografía de NASA /Roger Ressmeyer © Latinstock México; la Tierra, con el polo norte hacia la derecha, vista desde la Luna, fotografía de NASA © Latinstock México; **p. 142:** (izq.) eclipse total de Sol donde se aprecia una llamarada solar, fotografía de Fred Espenak, © Science Photo Library; (der.) Fray Bernardino de Sahagún, Primeros Memoriales. *Códice Matritense*, Palacio Real de Madrid, referencias mexicas a fenómenos y cuerpos celestes, reprografía de Marco Antonio Pacheco, © Arqueología Mexicana; **p. 143:** (arr.) eclipse total de Sol sobre Zambia, África; 2001, ilustración de david A. Hardy © Science Photo Library; **p. 144:** (ab. der.) cosmología aristotélica, Sociedad Real Astronómica, © Science Photo Library; (arr.) Bohpal, India, eclipse parcial de Sol, 2007, fotografía de Sanjeev Gupta, © Latinstock México; (ab. izq.) astrónomos observan un eclipse solar en Miahuatlán, Oaxaca, fotografía de Albert Moldvay, © National Geographic Stock; **p. 145:** (izq.) sistema solar copernicano, ilustración digital de Victor Habbick Visions; (der.) ilustración del sistema solar copernicano, 1690, Detlev van Ravenswaay, © Science Photo Library; **p. 146:** (arr.) los cinco elementos de Fludd, 1617, Sociedad Real Astronómica; (ab.) cosmología ptoloméica, ilustración de Sheila Terry, © Science Photo Library; **p. 147:** (arr.) dibujo del modelo cosmológico de Kepler, Biblioteca de Humanidades y Ciencias Sociales/Sección de Libros Raros/Biblioteca Pública de Nueva York; (ab.) representación del sistema solar, ilustración de Detlev van Ravenswaay, © Science Photo Library.

Ciencias Naturales. Cuarto grado
se imprimió por encargo de la Comisión
Nacional de Libros de Texto Gratuitos,
en los Talleres Gráficos de México,
con domicilio en Av. Canal del Norte No. 80,
Col. Felipe Pescador,
C.P. 06280, México, D.F.,
en el mes de marzo de 2014.
El tiro fue de 2'889,000 ejemplares.

¿Qué opinas de tu libro?

Tu opinión es importante para que podamos mejorar este libro de *Ciencias Naturales. Cuarto grado*. Marca con una palomita ✓ el espacio de la respuesta que mejor exprese lo que piensas. Puedes escanear tus respuestas y enviarlas al correo electrónico librosdetexto@sep.gob.mx.

1. ¿Recibiste tu libro el primer día de clases?

   ☐ Sí   ☐ No

2. ¿Te gustó tu libro?

   ☐ Mucho   ☐ Regular   ☐ Poco

3. ¿Te gustaron las imágenes?

   ☐ Mucho   ☐ Regular   ☐ Poco

4. Las imágenes, ¿te ayudaron a entender las actividades?

   ☐ Mucho   ☐ Regular   ☐ Poco

5. Las instrucciones de las actividades, ¿fueron claras?

   ☐ Siempre   ☐ Casi siempre   ☐ Algunas veces

6. Además de los libros de texto que son tuyos, ¿hay otros libros en tu aula?

   ☐ Sí   ☐ No

7. ¿Tienes en tu casa libros que no sean los de texto gratuito?

   ☐ Sí   ☐ No

8. ¿Acostumbras leer los *Libros de Texto Gratuitos* con los adultos de tu casa?

   ☐ Sí   ☐ No

9. ¿Consultas los Libros del Rincón de la biblioteca de tu escuela?

   ☐ Sí   ☐ No

   ¿Por qué?: _____

   _____

10. Si tienes alguna sugerencia para mejorar este libro, o sobre los materiales educativos, escríbela aquí:

    _____

    _____

    _____

    _____

¡Gracias por tu participación!

Dirección General de Materiales e Informática Educativa

Dirección de Desarrollo e Innovación de Materiales Educativos

Versalles 49, tercer piso, col. Juárez,

delegación Cuauhtémoc, C. P. 06600,

México, D. F.

- -
Doblar aquí

Datos generales

Entidad: _____

Escuela: _____

Turno: Matutino ☐ Vespertino ☐ Escuela de tiempo completo ☐

Nombre del alumno: _____

Domicilio del alumno: _____

Grado: _____

- -
Doblar aquí

_____

_____

_____

_____

_____

_____

_____

_____